Nuevo Avance 2

Concha Moreno | Victoria Moreno | Piedad Zurita

Primera edición: 2009
Segunda edición: 2010

Produce: SGEL - Educación
Avd. Valdelaparra, 29
28108 ALCOBENDAS (MADRID)

ISBN: 978 - 84 - 9778 - 530 - 3 (versión internacional)
ISBN: 978 - 84 - 9778 - 531 - 0 (versión Brasil)
Depósito Legal: M-47.653-2010
Printed in Spain – Impreso en España

Cubierta: Track Comunicación (Bernard Parra)
Maquetación: Track Comunicación (Bernard Parra)
Ilustraciones: Quino Marín, Gonzalo Izquierdo
Fotografías: Getty Images, Shutterstock, Cordon Press, Concha Moreno, Victoria Moreno, Piedad Zurita.
Impresión: Gráficas Rógar, S. A.

Presentación

Nuevo Avance es fruto de una larga experiencia docente y cuenta con la garantía de los miles de estudiantes que a lo largo de todos estos años han trabajado y aprendido con él. Renovado de acuerdo con los tiempos, cubre cuatro de los niveles -A1, A2, B1 y B2- recomendados por el Marco Común Europeo de Referencia; asimismo recoge las directrices del Plan Curricular del Instituto Cervantes y tiene siempre muy en cuenta la realidad de lo que ocurre en el aula. Todo ello se refleja en la forma en la que se han distribuido los contenidos y en las variadas prácticas que presentamos.

Su nuevo formato, de tamaño mayor, posee más ilustraciones, que lo hacen más atractivo tanto para el profesorado como para el alumnado. Entre sus novedades está la grabación de los *pretextos*, de algunas actividades de los *contenidos gramaticales* y *léxicos* y de *las funciones comunicativas*, lo cual será una gran ayuda tanto en el aula como fuera de ella; de este modo, el estudiante dispondrá siempre de un excelente material para escuchar y repetir cuando trabaja en solitario.

Nuevo Avance 2 está dirigido a jóvenes y adultos que estudien español en países de habla hispana o en sus propios países. La cantidad y variedad de contenidos, así como su secuenciación, permiten una progresión adaptada a las necesidades personales y a las del contexto educativo. Al terminar este libro se habrán alcanzado los objetivos propuestos por el MCER y por el PCIC para el nivel A2.

ESTRUCTURA DEL LIBRO
Cada unidad consta de las siguientes secciones:

Pretexto
Se introducen de forma visual y reflexiva los contenidos y temas que se trabajarán posteriormente.
Las imágenes van reforzadas por las grabaciones correspondientes.

Contenidos
Presentamos en el mismo apartado los contenidos **gramaticales, funcionales y léxicos** por considerarlos inseparables al principio del aprendizaje. Hemos incluido seis por unidad, relacionándolos entre sí para dar coherencia al conjunto.
Su progresión está pensada para alcanzar las competencias que se proponen para el nivel A2.

Practicamos los contenidos
Avanzamos hacia la fluidez dentro de las posibilidades del nivel A2, partiendo de una práctica controlada para fijar estructuras, no solo gramaticalmente correctas, sino también pragmáticamente adecuadas.
A medida que se progresa en las unidades, la tipología de las prácticas se enriquece, pasando de los sencillos intercambios comunicativos a la variedad textual que servirá de modelo a la expresión oral y a la escrita.

De todo un poco
En esta sección se practican todas las destrezas, teniendo en cuenta el ámbito personal del alumnado.

Incluimos **un apartado nuevo: «En situación»**, donde presentamos y trabajamos diferentes funciones comunicativas, contenidos pragmáticos y socioculturales.
Una vez más, perseguimos la coherencia de toda la unidad, relacionando los contenidos presentados con las prácticas, que han sido elaboradas en su variedad y objetivos para que los estudiantes, usuarios de la lengua como agentes sociales, activen sus recursos cognitivos y afectivos, sin olvidar que el uso de todas sus estrategias y competencias los conducirán a la acción.

Repasos
Cada tres unidades se presentan:
- Actividades dedicadas al repaso de las cuatro destrezas.
- Ejercicios recopilatorios de elección múltiple.

El manual se completa con varios **Apéndices**:
- Lecturas extra para quienes quieran avanzar aún más.
- Modelo de examen de nivel A2.
- Gramatical.
- Transcripciones de las audiciones.
- Glosario.

Al terminar este nivel el/la estudiante, considerado/a usuario/a básico/a empezará su camino para llegar a ser usuario/a independiente.

Agradecemos una vez más la buena acogida que desde 1995 (fecha de aparición del primer *Avance*) ha tenido nuestro trabajo y confiamos en que esta nueva edición que comparte las bases metodológicas de la anterior pero renovada en su estructura, contenidos, textos y actividades, sea merecedora de la confianza de profesores y estudiantes de español.
Ese ha sido nuestro propósito.

Las autoras

Índice

TABLA DE CONTENIDOS — 6

UNIDAD PRELIMINAR — 11

UNIDAD 1: *Ser o estar, esta es la cuestión.* — 13

UNIDAD 2: *Hay que hacer muchas cosas.* — 23

UNIDAD 3: *¿Qué es de tu vida?* — 33

REPASO: Unidades 1, 2 y 3. — 45

UNIDAD 4: *De viaje.* — 49

UNIDAD 5: *Un poco de nuestra Historia.* — 63

UNIDAD 6: *¡Qué tiempos aquellos!* — 75

REPASO: Unidades 4, 5 y 6. — 89

UNIDAD 7: *Si tú me dices ven...* — 93

UNIDAD 8: *Cuaderno de viajes.* — 105

UNIDAD 9: *Nos despedimos, pero seguiremos en contacto.* — 117

REPASO: Unidades 7, 8 y 9. — 129

LECTURAS — 135

MODELO EXAMEN — 149

APÉNDICE GRAMATICAL — 159

GLOSARIO — 167

TRANSCRIPCIONES DE LAS AUDICIONES — 171

Tabla de contenidos

UNIDAD 1
Ser o estar, esta es la cuestión

Contenidos temáticos
- *El carácter y el comportamiento de las personas.*
- *Dos ciudades con el mismo nombre en distintos continentes.*
- *Lugares famosos de España y América Latina.*

Contenidos léxicos
- *Materiales.*
- *Adjetivos de carácter (ampliación).*
- *Elementos paisajísticos.*

Contenidos funcionales y socioculturales
- *En situación: Pedir y dar direcciones.*
- *Expresar sentimientos.*

Contenidos pragmáticos
- *Tratamiento formal e informal.*
- *La cortesía con personas desconocidas.*

Tipología textual
- *Texto explicativo: pies de fotos.*
- *Textos dialógicos:*
  - *Interacciones con personas desconocidas en la calle.*
  - *Interacciones breves.*
- *Texto informativo.*
- *Texto descriptivo.*

Contenidos gramaticales
- *Repaso de los verbos* ser *y* estar. *Ampliación de sus usos.*
- *Apócope del adjetivo.*

UNIDAD 2
Hay que hacer muchas cosas

Contenidos temáticos
- *Obligaciones: la visita de un familiar.*
- *Los bares: las tapas y los pinchos.*
- *Actividades de la vida cotidiana.*

Contenidos léxicos
- *Los elementos de la mesa.*
- *Los nombres de las tapas y pinchos más populares.*
- *Las bebidas.*

Contenidos funcionales y socioculturales
- *En situación: Ir de tapas.*
- *Pedir en un bar.*
- *Pedir la cuenta en un bar.*
- *Dar o no dar la razón a alguien.*
- *Expresar obligación.*
- *La forma de pagar en grupo en España.*

Contenidos pragmáticos
- *Uso de la interjección* ¡Ah!
- *Enfatizar la afirmación:* ¡vale!, ¡claro!
- *Esperar confirmación de lo dicho:* ¿verdad?
- *Preguntar a la espera de confirmación:* ¿de verdad?
- *Justificar un enunciado:* es que...

Tipología textual
- *Texto explicativo: pies de fotos.*
- *Textos dialógicos:*
  - *Interacciones breves.*
  - *Conversación en el* Messenger.
  - *Interacción con un/a camarero/a.*
- *Textos descriptivos.*

Contenidos gramaticales
- *Repaso de* poder, querer, preferir, gustar, molestar, apetecer, encantar + *infinitivo.*
- *Repaso de las perífrasis* tener que *e* ir a + *infinitivo.*
- *Otras perífrasis:* hay que, empezar a, dejar de + *infinitivo.* Estar + *gerundio.*
- *Gerundios irregulares.*
- *Diferencia entre* porque *y* es que.

UNIDAD 3
¿Qué es de tu vida?

Contenidos temáticos
- *Estudiantes Erasmus.*
- *Los mensajes telefónicos.*
- *La descripción como juego.*
- *Academias para estudiar español.*

Contenidos léxicos
- Llevarse bien / mal con alguien.
- Caer bien / mal alguien.
- Probar algo; probarse algo.
- *El teléfono y el léxico relacionado.*
- *Actividades cotidianas y actividades poco frecuentes.*

Contenidos funcionales y socioculturales
- *En situación: Conversaciones y mensajes telefónicos.*
- *Llamar por teléfono, dejar mensajes o recados.*
- *Describir animales, muebles o lugares.*
- *Adivinar cuadros, películas o personajes famosos.*
- *La familia española: relaciones entre sus miembros.*

Contenidos pragmáticos
- *Uso de la interjección* ¡Huy!
- *Fórmulas al descolgar el teléfono en diferentes países del mundo hispano.*
- *Fórmulas para hablar por teléfono.*

Tipología textual
- *Textos dialógicos:*
  - *Conversaciones telefónicas.*
  - *Interacciones breves.*
- *Correo electrónico entre amigos.*
- *Carta formal.*
- *Formulario de inscripción en una academia.*

Contenidos gramaticales
- *Repaso de:*
  - *Presentes de verbos regulares e irregulares.*
  - *Verbos reflexivos, regulares e irregulares.*
  - *Verbos que se construyen como* gustar.
  - *Verbos para expresar fenómenos atmosféricos.*
- *Repaso del pretérito perfecto.*
- *Repaso de los adjetivos demostrativos.*
- *El género irregular de los sustantivos.*

REPASO: Unidades 1, 2, 3

UNIDAD 4
De viaje

Contenidos temáticos
- *Los viajes:*
  - *Viaje a Argentina y Chile.*
  - *Viaje al Parque natural de Doñana.*
- *Paisajes, edificios, ciudades.*
- *Dos productos alimenticios españoles: El Chupa Chups y el Cola Cao.*
- *Inventos.*
- *Biografía de Shakira.*

Contenidos léxicos
- *Marcadores temporales.*
- *Accidentes geográficos.*
- *Los inventos y el léxico relacionado.*
- *Recursos para contar una biografía.*
- *Las lenguas hispanas.*

Contenidos funcionales y socioculturales
- *En situación: En el restaurante.*
- *En casa de un amigo: ofrecer algo.*
- *Contestar a una entrevista.*
- *Contar un hecho de la propia vida.*
- *Contar un viaje.*

Contenidos pragmáticos
- *Fórmulas para pedir en un restaurante, para llamar al camarero y para pedir la cuenta.*

Tipología textual
- *Textos dialógicos:* • *Conversación entre amigos.* • *Entrevistas breves.* • *Interacción con un/a camarero/a.*
- *Textos descriptivos.*
- *Textos narrativos.*
- *Carta de un restaurante.*

Contenidos gramaticales
- *Formas del pretérito indefinido regular.*
- *Formas del pretérito indefinido irregular de los verbos:* ir, ser, dar, dormir *y* morir.
- *Usos del pretérito indefinido.*
- *Contraste con el pretérito perfecto.*
- *Repaso de los posesivos.*
- *Ampliación de los posesivos:* mío/a, tuyo/a, suyo/a, *etc.*
- *Más números.*

UNIDAD 5
Un poco de nuestra Historia

Contenidos temáticos
- *La historia de los incas.*
- *Biografía de Simón Bolívar.*
- *La Transición española.*

Contenidos léxicos
- *Pesos y medidas.*
- Saber, conocer, encontrar, poder, tocar; poner.
- Tomar la lección; llevar bien / mal un examen.
- *Los alimentos.*
- *Recursos para contar una biografía.*

Contenidos funcionales y socioculturales
- *En situación: En el mercado: en la frutería y en la carnicería.*
- *Buscar los ingredientes para diferentes tipos de comidas y bebidas.*
- *Contar un hecho de la propia vida.*
- *Describir imágenes.*

Contenidos pragmáticos
- *El tratamiento entre cliente y dependiente.*
- *Felicitar a alguien:* ¡Enhorabuena!

Tipología textual
- *Textos dialógicos:*
  - *Conversación entre amigos.*
  - *Interacciones breves.*
  - *Interacción con las personas que atienden en el mercado.*
- *Textos narrativos.*
- *Correo electrónico.*

Contenidos gramaticales
- *Pretéritos indefinidos irregulares.*
- *Repaso de los indefinidos.*

UNIDAD 6
¡Qué tiempos aquellos!

Contenidos temáticos
- *Tiempos pasados: la aspirina, el 600, las vacaciones en Benidorm y Torremolinos.*
- *Recuerdos personales.*
- *Países de Hispanoamérica: El Salvador, Argentina, México, Ecuador.*

Contenidos léxicos
- *Los marcadores de costumbre.*
- *Las partes del cuerpo.*
- *La salud y la enfermedad.*
- *Los muebles de la casa.*

Contenidos funcionales y socioculturales
- *En situación: En el médico.*
- *Explicar un problema de salud.*
- *Contar recuerdos personales.*
- *Comparar datos.*
- *Describir fotografías.*
- *Debatir organizadamente.*

Contenidos pragmáticos
- *Los relacionados con una visita médica entre médico y paciente.*

Tipología textual
- *Textos dialógicos:*
  - *Conversación con un camarero.*
  - *Interacción entre paciente y médico.*
  - *Interacciones breves.*
  - *Entrevistas breves.*
- *Textos descriptivos.*
- *Texto argumentativo: debate dirigido.*
- *Carta a una revista.*

Contenidos gramaticales
- *El pretérito imperfecto de indicativo regular e irregular. Forma y usos.*
- *Repaso de los comparativos.*
- *Otros comparativos:* mayor / menor. Mejor / peor.

REPASO: Unidades 4, 5, 6

UNIDAD 7
Si tú me dices ven...

Contenidos temáticos
- *La publicidad y los medios de comunicación.*
- *Beber alcohol con criterio.*
- *Los bailes caribeños.*
- *El consumo responsable.*

Contenidos léxicos
- *La publicidad y los medios de comunicación.*
- *Los ingredientes de algunos cócteles.*
- *Recursos para interactuar en la recepción de un hotel.*

Contenidos funcionales y socioculturales
- *En situación: En el hotel.*
- *Dar consejos y expresar obligación.*
- *Pedir favores y hacer peticiones.*
- *Debatir organizadamente.*

Contenidos pragmáticos
- *La justificación de las peticiones.*

Tipología textual
- *Texto explicativo: carteles publicitarios.*
- *Textos dialógicos:*
  - *Interacciones breves.*
  - *Interacción entre clientes y personal del hotel.*
- *Texto argumentativo: debate dirigido.*
- *Nota con peticiones.*

Contenidos gramaticales
- *El imperativo afirmativo regular e irregular.*
- *Los pronombres y el imperativo.*
- *Las oraciones condicionales con* si + *presente de indicativo.*

UNIDAD 8
Cuaderno de viajes

Contenidos temáticos
- *Los viajes.*
- *Costumbres contrastadas.*
- *Las invitaciones.*
- *El matrimonio: sí o no.*

Contenidos léxicos
- *El viaje en avión: aeropuerto y equipaje.*
- *Las actividades de tiempo libre.*
- *Los gestos.*

Contenidos funcionales y socioculturales
- *En situación: En casa de unos amigos que te han invitado a cenar.*
- *Interactuar con amigos.*
- *Responder a entrevistas.*

Contenidos pragmáticos
- *Fórmulas de cortesía al ser invitados a cenar a casa de amigos.*
- *Los gestos.*
- *La proxémica.*
- *Expresiones para enfatizar:* ¡Dios mío!, ¡Enhorabuena!, ¡Qué bien!

Tipología textual
- *Textos dialógicos:*
  - *Conversación con amigos.*
  - *Entrevistas breves.*
- *Textos descriptivos.*
- *Textos explicativos:*
  - *Pies de fotos.*
  - *Diarios.*

Contenidos gramaticales
- *Algunas conjunciones:* porque, por eso, así que, y, ni, pero, cuando.
- *El relativo* que.
- *Recursos para expresar otras relaciones temporales:* desde (que) / hace (que).

UNIDAD 9
Nos despedimos, pero seguiremos en contacto

Contenidos temáticos
- *Las relaciones personales.*
- *Preparar una fiesta.*
- *Transformaciones en el futuro.*
- *Las TICs.*

Contenidos léxicos
- Creo que, me parece que, quizás, a lo mejor.
- *Las TICs (tecnologías de la información y la comunicación).*
- *Elementos relacionados con las fiestas.*
- *Recursos para mostrar alegría y sorpresa.*

Contenidos funcionales y socioculturales
- *En situación: Fiesta de despedida.*
- *Preparar una fiesta de despedida.*
- *Dar direcciones electrónicas y números de teléfono.*
- *Expresar sorpresa y alegría.*
- *Expresar inseguridad / probabilidad.*

Contenidos pragmáticos
- *La forma de beber de los españoles.*

Tipología textual
- *Textos dialógicos:*
  - *Conversación con amigos.*
  - *Interacciones breves.*
- *Anuncios.*
- *El* blog.
- *Chistes gráficos.*
- *Modelo de CV (Currículum Vitae).*

Contenidos gramaticales
- *El futuro de indicativo regular e irregular. Forma y usos.*
- *Repaso de las preposiciones:* a, con, sin, de, en, por.
- *Ampliación de las preposiciones:* desde, hasta, para.

REPASO: Unidades 7, 8, 9

Unidad Preliminar

0

¿Recuerdas? Todo esto lo has aprendido ya.

1 Habla.

Ya has aprendido a describir. Ahora describe lo que ves en la fotografía. Tienes que decir:
- dónde están las cosas
- la forma
- el tamaño
- los colores
- los nombres de las frutas que conoces.

2 Lee.

¿Recuerdas a Marta y a Chantal de *Nuevo Avance 1*? Lee su última carta y contesta a las preguntas que hay al final del texto.

Madrid 17/11/09
Hola Marta:
¿Qué tal estás en Boston?¿Sigues sin conexión a Internet?
Me preguntas con quién vivo en Madrid..., pues vivo con una familia española. Es una familia un poco especial. Roberto es viudo y tiene dos hijos Teresa y Gonzalo. Teresa, tiene 26 años, vive de lunes a viernes en casa y el viernes por la tarde va a Burgos donde vive su novio. Gonzalo, de 24, trabaja en Toledo y viene todos los fines de semana a casa, a Madrid. Roberto, el padre, tiene un restaurante y siempre comemos allí. La madre de Roberto viene al restaurante algunas veces.
Estoy contenta. Creo que aprendo mucho español con ellos.
Me voy a clase.
Un beso.
Chantal

Di si es verdadero o falso. 

1 La mujer de Roberto no vive.
2 Los hijos siempre están juntos.
3 Gonzalo trabaja fuera de Madrid.
4 El novio de Teresa vive en Madrid.
5 Roberto ve a su madre algunas veces.

3 Escribe.

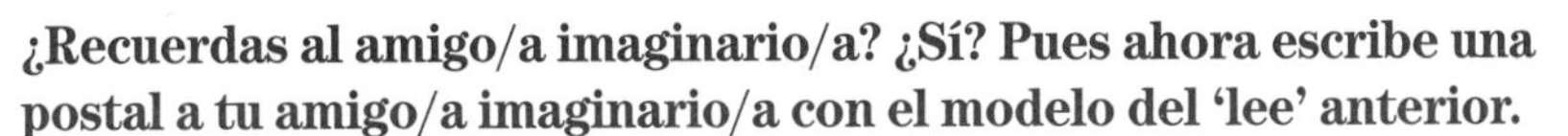

¿Recuerdas al amigo/a imaginario/a? ¿Sí? Pues ahora escribe una postal a tu amigo/a imaginario/a con el modelo del 'lee' anterior.

4 ¿Recuerdas los contenidos de *Nuevo Avance 1*? Seguro que sí.

Elige la respuesta correcta.

1 ¿Cómo saludas a una chica de 15 años?
a. ¿Cómo estás? **b.** ¿Cómo está usted?

2 ● ¿Dónde trabajas?
▼ ________ un taller.
a. En **b.** A

3 ● ¿ ________ eres?
▼ Soy Ramona Araújo
a. Quién **b.** Cuál

4 ● ¿De dónde eres?
▼ ________.
a. Estoy chileno **b.** Soy chileno

5 ● ¿Vas al cine con frecuencia?
▼ No mucho, solo ________.
a. a veces **b.** cinco veces a la semana

6 A las 7:00 de la mañana ________.
a. cenamos **b.** desayunamos

7 ● Hola, ¿cómo ________?
▼ Bien, pero ________ un poco cansada.
a. eres / estoy **b.** estás / estoy

8 ● ¿ ________ vale un paquete de tabaco en España?
▼ Ni idea, no fumo.
a. Cuántos **b.** Cuánto

9 ● ¿ ________ es tu padre físicamente?
▼ Un poco ________.
a. Cómo / gordo y rubio
b. Cómo / inteligente y amable

10 ● ¿Dónde ________ una biblioteca pública?
▼ En el centro.
a. está **b.** hay

11 ● ¿Cómo se llama ese objeto que sirve para borrar?
▼ ________, ¿no?
a. Goma **b.** Bolígrafo

12 ● Por favor, ¿dónde ________ la Avenida de las Américas?
▼ Creo que al final de la calle, a la izquierda.
a. es **b.** está

13 ● ¿Qué tal las clases de Literatura?
▼ Son ________ interesantes.
a. muy **b.** mucho

14 ● ¿Un piso o una casa?
▼ En la ciudad ________ un piso.
a. prefiero **b.** prifero

15 ¿Dónde hay ________ quiosco?
a. el **b.** un

16 ● Los sábados me levanto a las 11:00.
▼ Yo ________.
a. tampoco **b.** también

17 ● ¿Dónde ________?
▼ En el mercado central.
a. vas de compras **b.** haces la compra

18 Hay mucho ruido; no ________ nada.
a. oyo **b.** oigo

19 ¿Qué es para mí el hermano de mi padre?
a. Tu tío **b.** Tu primo

20 ● ¿ ________ fumar aquí?
▼ Lo siento, está prohibido.
a. Podemos **b.** Puedes

21 Camarero, por favor ________ cerveza.
a. otra **b.** una otra

22 ● ¿Conoces ________ país centroamericano?
▼ No. No conozco ________.
a. algún / ninguno **b.** alguno / alguno

5 Ortografía.

¿Recuerdas cómo se escriben estas palabras?

a Completa con C, Z o S.

- Donde yo vivo hay una pis___ina muy grande.
- El ___ielo está a___ul.
- Ne___e___ito ___ilen___io para trabajar.
- Antonio es muy inteligente y muy ___urio___o.
- Mi abuelo fuma ___in___o ___igarrillos al día.

b Completa con C, QU, G o GU.

- Mis hermanas son pe___eñas.
- La ___erra es terrible.
- ___iero saber ___uántos alumnos hay en tu clase.
- *Los ___irasoles* es uno de los cuadros más famosos de Vincent Van Gogh.
- Hay muchas personas que to___an la ___itarra pero muy pocas la to___an perfectamente.

Ser o estar, esta es la cuestión

1

1. Pretexto

*Todos necesitamos puntos de referencia para saber dónde **estamos**.*

*Para saber cómo **somos**.*

***Es** maravilloso **estar** en las Islas Canarias.*

*Gracias por **ser** mi madre y **estar** siempre a mi lado.*

1 Escucha la siguiente información. 

2 Escribe un texto y contesta a estas preguntas: 

- ¿Dónde estás tú?
- ¿Quién eres? ¿Qué puedes decir de tus compañeros/as?
- Para ti, ¿dónde es maravilloso estar?
- ¿Quién está o ha estado siempre a tu lado, para las cosas buenas y las cosas malas?

3 Y ahora, lee tu texto y escucha el que han escrito tus compañeros/as.

4 En grupos, recordad los usos de *ser* y *estar* que ya sabéis. 

2. Contenidos

1 Usos de *ser* y *estar*.

Ya conoces la mayoría de estos usos; los has estudiado en el nivel A1.

Usamos el verbo SER para: 2

Identificarnos. *¿Quién es...?* *Buenos días.* ***Soy*** *Santiago Pérez Segura.*	**Material.** *¿De qué es...?* *La camiseta* ***es*** *de algodón 100 %.*
Expresar origen, nacionalidad. *¿De dónde es...?* ● *¿De dónde* ***es*** *Mario Vargas Llosa?* ▾ ***Es*** *de Perú.*	**Posesión, relación.** *¿De quién es...?* *Creo que ese coche* ***es*** *de Maribel.*
Profesión. *¿Qué eres, es...?* ***Soy*** *periodista.*	**Descripción física y de carácter.** *¿Cómo es...?* *Javier* ***es*** *muy guapo y muy simpático.*
Color. *¿De qué color es...?* *El bolso* ***es*** *negro.*	**La fecha y la hora.** *¿Qué día es...?* *¿Qué hora es...?* *Hoy* ***es*** *viernes 24.* ***Son*** *las 9:00.*

Usamos el verbo ESTAR para: 3

Localizar. *¿Dónde está/n...?* *La camisa* ***está*** *en el armario.*	**Expresar una actividad transitoria.** *El jefe* ***está*** *de viaje.* *María* ***está*** *de vacaciones.*
Hablar del estado físico y anímico. *¿Cómo está usted?* ● *Buenos días, señora Enríquez, ¿qué tal* ***está*** *usted?* ▾ ***Estoy*** *bien, gracias.*	**La fecha.** ● *¿A cuántos* ***estamos****...?* ▾ *Hoy* ***estamos*** *a viernes 24.*
Hablar del resultado de la acción. *La puerta* ***está abierta*** *(****Acción:*** *alguien ha abierto la puerta.* ***Resultado:*** *la puerta está abierta).* *Los libros* ***están ordenados*** *(****Acción:*** *alguien ha ordenado los libros.* ***Resultado:*** *los libros están ordenados).* *Las luces* ***están encendidas*** *(****Acción:*** *alguien ha encendido las luces.* ***Resultado:*** *las luces están encendidas).* *El ordenador** ***está apagado*** *(****Acción:*** *alguien ha apagado el ordenador.* ***Resultado:*** *el ordenador está apagado).* *** ***Ordenador:*** *la computadora en Hispanoamérica.*	**ATENCIÓN** En este caso el verbo ***estar*** significa sentirse, encontrarse **¿Qué tal estás?** ● *Hola, Pedro, ¿qué tal* ***estás****?* ▾ *No sé, no me encuentro (estoy) bien, me siento (estoy) regular, creo que tengo fiebre.*

2 Materiales.

***Ser* + *de* + material = definir / especificar**

- *¿De qué material es el suelo de tu clase?*
- ▼ ***Es de cerámica** gris.*

- *¿De qué material es tu anillo?*
- ▼ ***Es de oro blanco**.*

Pon el artículo delante de los materiales.

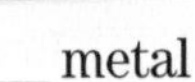

____ oro

____ lana

____ plata

____ cristal

____ plástico

____ corcho

____ madera

____ metal

____ cuero o ____ piel

____ tela

____ cerámica

____ algodón

3 Adjetivos del carácter.

Ser* + adjetivo de carácter = *¿Cómo es...? ¿Qué tal es...?
Para describir y definir.

simpático/a	antipático/a
optimista	pesimista
inteligente	tonto/a
abierto/a	introvertido/a
generoso/a	tacaño/a
alegre	triste
divertido/a	aburrido/a
trabajador/a	vago/a
tranquilo/a	nervioso/a
educado/a	maleducado/a

*Laila **es** simpática.*

*Estos chicos **son** pesimistas.*

4 Apócope del adjetivo.

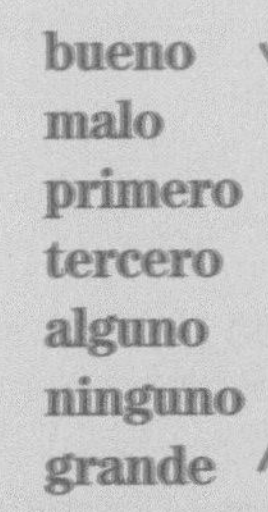

bueno	delante de sustantivo masculino singular	**buen**
malo		**mal**
primero		**primer**
tercero		**tercer**
alguno		**algún**
ninguno		**ningún**
grande		**gran**

¿Puedes escribir una frase con *buen* o con *mal*?

*Marta va a organizar una **gran** fiesta.*
*Rafael Nadal es un **gran** tenista.*

3. Practicamos los contenidos

1 Une las dos columnas.

1 *El Guernica*, de Picasso
2 Por favor, ¿la señora Alonso?
3 Clara tiene un problema
4 La biblioteca municipal
5 ¿Los servicios, por favor?
6 Cristina está hoy muy alegre
7 Como no encuentra trabajo
8 ¿Dónde está Ildefonso?
9 Mis hermanos están en Cancún
10 El director está enfadado

a está de mal humor.
b está de viaje.
c está en el museo Reina Sofía.
d están de vacaciones.
e está enfermo.
f está en paro.
g está triste.
h está de buen humor.
i están en la primera planta.
j está en la Diputación.

2 Completa con la forma correcta del presente de *ser* o *estar*.

1 ● ¿Por qué no ha venido Isidoro a trabajar?
▼ Porque *está* enfermo.

2 ● El norte de España ________ muy verde.
▼ Porque llueve mucho.

3 ● ¿Por qué ________ tan contento?
▼ Porque he aprobado todos los exámenes.

4 ● A veces ________ difícil entender a los españoles.
▼ Sí. Es que algunos hablan muy rápido.

5 ● ________ muy guapa con el pelo corto.
▼ Gracias, Manuel.

6 ● ¿Qué ________ Juan Luis?
▼ ________ profesor de yoga; ________ budista y vegetariano.

7 ● ¿Qué hora ________?
▼ ________ la una menos cuarto.

8 ● ¿Para quién ________ ese regalo?
▼ ________ para mi tío Eduardo; es que hoy es su cumpleaños.

9 ● ¿A qué día ________ hoy?
▼ ________ a 15.

10 ● ¿Qué le pasa a tu hermano?
▼ Que ________ de mal humor.

3 Une la definición con el adjetivo correspondiente.

1 Siempre se está moviendo, habla rápido y no duerme muy bien.
2 Resuelve los problemas matemáticos rápidamente.
3 Invita, hace regalos y presta muchas cosas.
4 Es relajado, no habla nunca demasiado alto y se enfada poco.
5 No da las gracias, ni pide las cosas por favor.
6 Lo ve todo de color negro.
7 No cuenta sus problemas y demuestra poco sus sentimientos.
8 Siempre hace todas sus tareas y está activo.
9 Es muy simpático y animado.
10 Le encanta pasar horas y horas tumbado al sol.

ES
a pesimista
b introvertido
c divertido
d vago
e generoso
f trabajador
g inteligente
h nervioso
i maleducado
j tranquilo

4 Relaciona. ¿De qué material es?

Los zapatos son de piel.

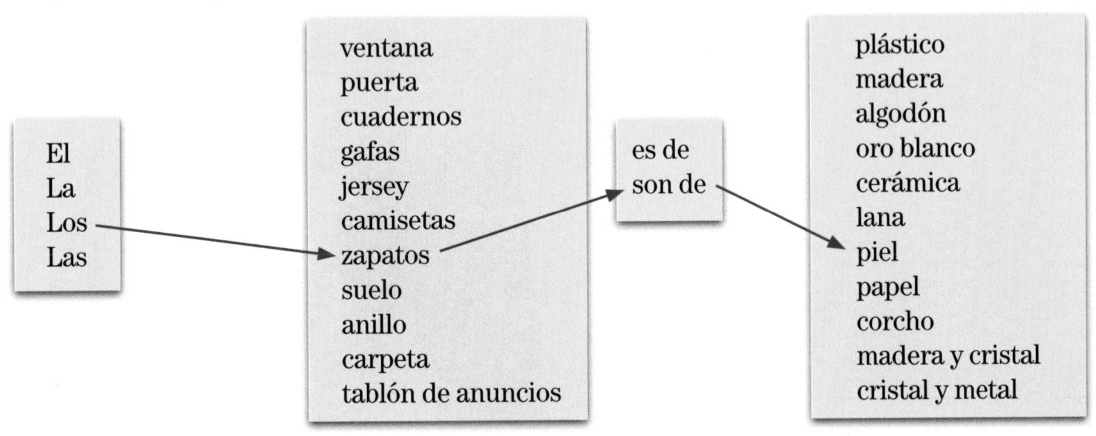

5 Completa si es necesario.

1 Los sobrin*os* de Antonia son muy simpátic*os*.
2 ¿Conoces algún__________ restaurante mexican__________?
3 Juan es un buen__________ amigo. Es muy simpátic__________.
4 Vamos a hacer una gran__________ fiesta el jueves.
5 El padre de Vicente vive en el primer__________ piso y él en el tercer__________.
6 Marta y Carolina son muy alegr__________.
7 Juan y Federico están muy cansad__________.
8 L__________ días en invierno son muy frí__________.
9 El novio de Ana está bastante trist__________ últimamente.
10 Est__________ estudiantes están un poco seri__________.

6 Primero ordena y después haz la pregunta.

amigo / un gran / Antonio / mi hermano / de / es:
Antonio es un gran amigo de mi hermano.
¿Quién es Antonio?

1 AVANCE / buen / es / un / libro: ____________________
¿____________________?

2 una / gran / Arteta / Ainhoa / es / soprano: ____________________
¿____________________?

3 hermano / tercer / Germán / mi / es: ____________________
¿____________________?

4 ordenador / comprarme / Voy a / un / bueno: ____________________
¿____________________?

5 La / el primer / de Susana / está en / oficina / piso: ____________________
¿____________________?

6 puertorriqueño / No / amigo / tengo / ningún: ____________________
¿____________________?

4. En situación

Pedir y dar direcciones.
En Cuenca (España).

1 Escucha sin leer el texto y contesta.

- *¿Adónde quiere ir?*
- *¿Está lejos?*

2 Lee el texto.

- Buenos días, señora, ¿para ir al Museo de Arte Abstracto?
- ▼ Está un poco lejos, pero el camino es muy bonito. ¿Quieres andar 15 minutos o prefieres ir en autobús?
- Prefiero andar; hace un día muy bueno.
- ▼ ¿Ves aquella calle que sube?
- Sí.
- ▼ Pues aquella calle sube hasta la Plaza Mayor. La plaza es muy antigua. Bueno, al llegar a la plaza tienes que bajar por la calle que rodea a la catedral. ¿De acuerdo?
- Sí, vale. Sigo esta calle hasta la plaza, después bajo por la calle que rodea a la Catedral...
- ▼ Sí, entonces... Te encuentras una plaza. A un lado están las Casas Colgadas y allí está el Museo de Arte Abstracto.
- Muchísimas gracias, señora.
- ▼ De nada.

3 Vuelve a escuchar la grabación sin el texto y contesta. 

Presta atención a la entonación de las preguntas. ¿Qué edad crees que tiene cada persona?

UNA CURIOSIDAD

Cuenca (España) está declarada Patrimonio de la Humanidad.
www.cuencamagica.com

Cuenca (Ecuador) también está declarada Patrimonio de la Humanidad.
www.cuenca.com.ec

Estructuras y recursos para pedir y dar direcciones

- **Para empezar la conversación:**
  Formal: *buenos días, buenas tardes...*
  Informal: *hola.*

- **Para preguntar por una dirección:**
  ¿Para ir a...?

  Y también: *¿Sabe dónde está...?*
  ¿Cómo se va a...?

- **Para dar direcciones:**
  Las instrucciones pueden darse en presente, hablando de *tú*: *subes, llegas, giras* o de *usted*: *sube, llega, gira*, al interlocutor.

- **Para comprobar si se ha entendido la dirección usamos:**
  ¿De acuerdo?

- **Para responder se usa:**
  De acuerdo, sí, vale.
  De acuerdo es más formal que *vale.*

- **Para despedirse:**
  Quien ha preguntado dice: *muchas gracias o muchísimas gracias.*
  Quien ha respondido contesta: *de nada o no hay de qué.*

4 Te toca. En parejas. 

Quieres ir al despacho del coordinador o de la coordinadora y no sabes dónde está. Pregunta a tu compañero/a.

Quieres ir al oficina de Turismo del lugar donde vives ahora, pregunta a tu profesor/a. (Tienes que hablarle de *usted.*)

5. De todo un poco

1 ¿A quién le ha tocado el viaje del banco?

1 No está riendo.
2 No es rubio/a.
3 No lleva gafas.
4 No está de perfil.
5 No lleva nada en la cabeza.
6 No es muy guapo/a.
7 La tarjeta no está en su mano, ni en su frente, ni en su cabeza.
8 Es delgado/a.
9 Está entre dos personas morenas.
10 No tiene el pelo corto.

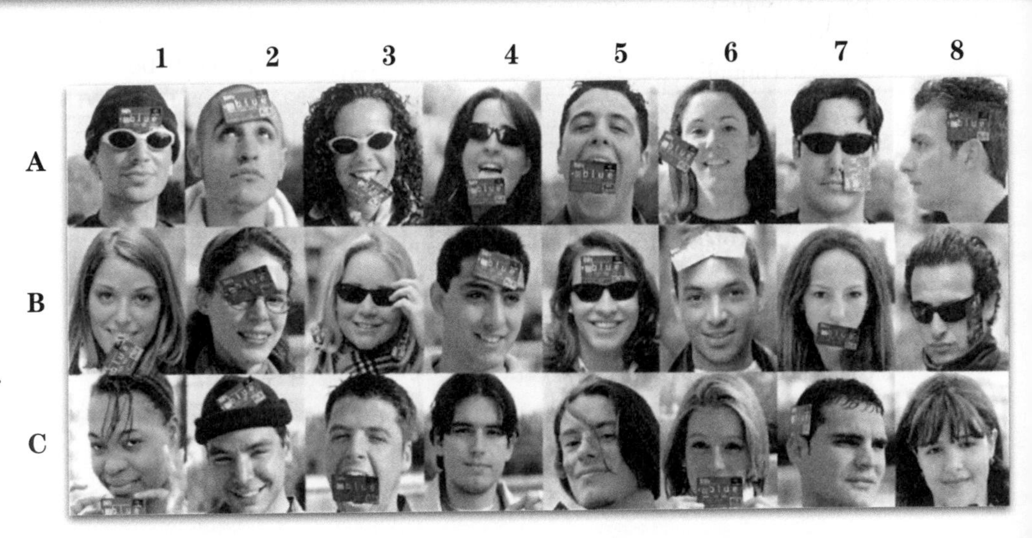

2 Juego de memoria y rapidez.

En parejas. Pregunta a tu compañero/a qué es/son y dónde está/n. Tu profesor/a sabe las respuestas.

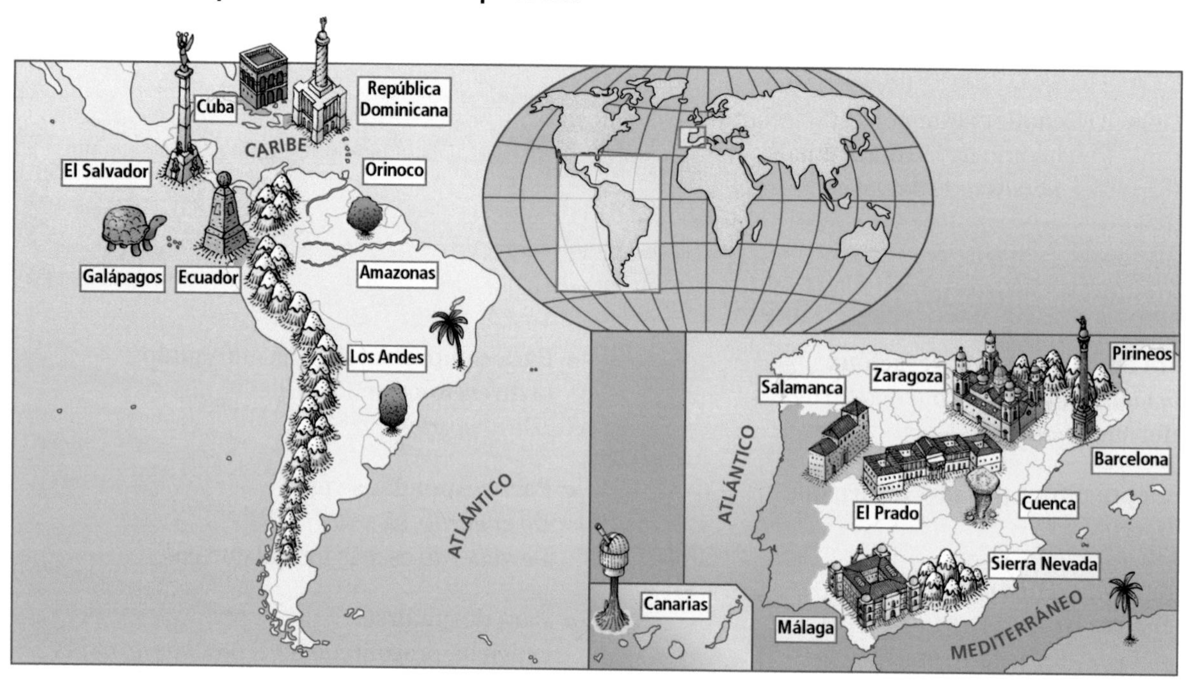

Jugador número 1.

	¿Qué es / son?	¿Dónde está/n?
El Amazonas		
Salamanca		
El Salvador		
Los Andes		
El Prado		
Zaragoza		
Sierra Nevada		
Barcelona		
Los Pirineos		
El Mediterráneo		

Jugador número 2.

	¿Qué es / son?	¿Dónde está/n?
El Atlántico		
Las Canarias		
Las Galápagos		
Cuenca		
Málaga		
El Caribe		
El Orinoco		
Cuba		
La República Dominicana		
Ecuador		

En equipos de tres personas podéis preparar otras preguntas para seguir jugando con vuestros/as compañeros/as. 

3 ¿Cómo te sientes?

a Escucha los diálogos y completa. 

Expresar alegría
Diálogos:
1 ______________________________
____

Expresar tristeza
Diálogos:
2 ______________________________
____

Expresar enfado
Diálogos:
____
____

Expresar sorpresa
Diálogos:
____
____

b Lee. 

Expresar sentimientos

Expresar alegría	Expresar tristeza
¡Qué bien! ¡Qué suerte! ¡Enhorabuena!	¡Qué pena! ¡Qué lástima! ¡Qué mala suerte!
Expresar enfado	**Expresar sorpresa**
Estoy harto/a. ¡Qué rollo!	¿Sí? ¿De verdad? ¡No me digas!

c Practica. En parejas o en grupos, expresad las oraciones correctamente y reaccionad ante estas situaciones.

1. He perdido el pasaporte.
2. Mis padres han comprado una casa grande en la costa.
3. He encontrado un trabajo muy bueno.
4. Se ha muerto mi gato.
5. Tengo que trabajar toda la noche.
6. Mis abuelos han ganado un concurso de baile.
7. No podemos ir de viaje.
8. No tenemos agua en casa.
9. He ganado 3 000 € en el casino.
10. Voy a afeitarme la cabeza.

4 En parejas y en grupos. Pregunta a tu compañero/a cómo es y qué hace una persona…

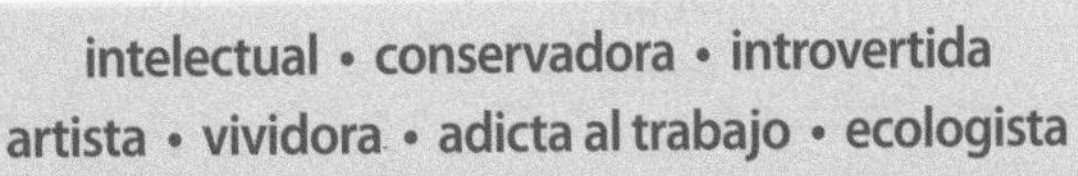
intelectual • conservadora • introvertida
artista • vividora • adicta al trabajo • ecologista

Ejemplo: *Una persona* ***adicta al trabajo*** *no tiene horarios. Habla muchísimo por el móvil. Viaja con frecuencia, pero siempre con su ordenador portátil. A veces come trabajando y otras veces trabaja por la noche con su ordenador en la cama. Normalmente va bien vestida. Tiene muy poco tiempo para su familia y para sus amigos.*

Y ahora explica a tus compañeros/as y a tu profesor/a qué tipo de persona te gusta para novio/a y qué tipo de persona te gusta como amigo/a y por qué.

5 Lee. 

¿De tú, de usted o de vos?

No es fácil saber cuándo debemos usar *tú o usted*. En general, usamos *tú* en situaciones informales (con amigos o conocidos) y *usted* en situaciones formales (con desconocidos, en el trabajo con los jefes, cuando vamos a comprar...).

Con las personas mayores resulta difícil: lo normal es llamarlas de *usted*, pero es muy frecuente oír esto: *No me hables de usted, que no soy tan mayor.* En este caso, mejor pasar al *tú*.

Además, las reglas no son las mismas en todos los países y regiones hispanohablantes.

En España, el plural de *tú* es *vosotros / vosotras*. En Latinoamérica y en Canarias el plural de *tú* es *ustedes*.

En algunas regiones de América existe otra forma de tratamiento: *vos* para referirse a la segunda persona del singular. Tiene sentido coloquial y amigable. Se usa en Argentina, Uruguay, parte del Paraguay, Guatemala, El Salvador, Honduras, Nicaragua, Chile, Perú, Bolivia, Ecuador, Colombia, Venezuela, México, Cuba y Panamá, pero en diferente grado.

Mira estas fotografías, ¿cómo hablan las personas que aparecen en cada una de ellas? ¿De *tú*, de *usted* o de *vos*?

6 Escribe. 

Describe a tres personas famosas. Tienes que hablar de sus características físicas y de su carácter. Después tienes que leer tus descripciones y tus compañeros/as tienen que adivinar quiénes son.

Ejemplo: *Es una mujer española. Tiene más o menos 35 años. Es muy guapa. Es morena y delgada. Tiene el pelo largo. Ahora vive en Estados Unidos. Ha tenido algunos novios famosos. Es actriz. (Se llama Penélope Cruz.)*

Hay que hacer muchas cosas

1. Pretexto

¿Por qué no **dejáis de fumar**?

Hay que limpiar esta carretera.

Están tirando de la cuerda.

Empezamos a cenar dentro de cinco minutos.

Estoy jugando.

Hay que comer para disfrutar de la vida.

Mira, aquí **están construyendo** una urbanización.

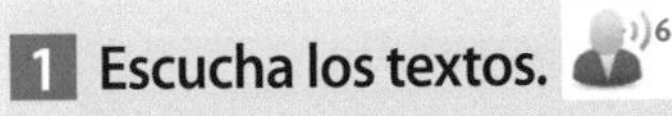

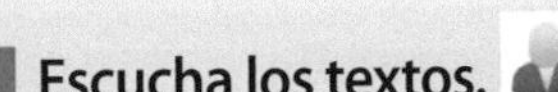

1 **Escucha los textos.** 6

2 **Mira las fotos, lee y contesta.**

- ***Hay que limpiar esta carretera.*** ¿Quién crees que puede limpiarla? ¿Qué otras cosas hay que hacer para cuidar las carreteras?

- ***Hay que comer para disfrutar de la vida.*** ¿Qué más cosas hay que hacer para disfrutar de una vida sana?

- ***¿Por qué no dejáis de fumar?***, significa:
  a. Tenéis que fumar más.
  b. Tenéis que abandonar el tabaco.

- ¿Puedes imaginar otras cosas que van a empezar a hacer las personas que ***empiezan a cenar dentro de cinco minutos***?

- ¿Por qué ***están tirando de la cuerda***? ¿Están moviendo el mundo? Imagina otras posibilidades.

- Ya sabes que ***tener que*** expresa obligación, ¿crees que hay alguna diferencia con ***hay que***? ¿Cuál?

- Lee de nuevo los textos donde aparece **estar + gerundio**. ¿Te parece que significan lo mismo? ¿Las tres acciones coinciden exactamente con el momento de hablar?

- ¿A qué ***está jugando*** Héctor?

2

2 En parejas. Pregunta a tu compañero/a. 

- *¿Qué has dejado de hacer últimamente?*
- ▾ *Últimamente he dejado de usar el móvil porque es muy caro.*

¿Qué has empezado a hacer alguna vez?

¿QUÉ ESTÁS HACIENDO ÚLTIMAMENTE?

¿Qué vas a hacer pronto?

¿Qué tienes que hacer?

¿Qué hay que hacer para + infinitivo...?

3 a Escucha y contesta: ¿Cuál de los tres cuadros ha pintado José? 

OBSERVA

- ***¿Verdad?***

Usamos esta pregunta cuando estamos seguros de coincidir con nuestro interlocutor, cuando esperamos confirmación de lo que decimos.

- *Oye, José, este cuadro es nuevo, **¿verdad?***
- ▾ *Sí.*

- *Oye, José, a ti no te gustan los perros, **¿verdad?***
- ▾ *No, no me gustan nada.*

- Usamos dos veces ***gracias*** cuando sentimos que los elogios son excesivos.
  - *Este cuadro es maravilloso, ¡qué colores!, es una obra de arte...*
  - ▾ ***Gracias, gracias...***

- ***Es que*** significa ***porque*** y se usa para justificar una orden o una petición.
  *Oye, Carmen, ¿empezamos a cenar? **Es que** ya tengo hambre.*

b Escucha atentamente y repite con tu compañero/a.

4 ¿Tengo o no tengo razón?

a Escucha los diálogos y completa. 

1 ● ¿Crees que va a ganar el Boca este año?
▼ ______________________________ *(Muy seguro/a).*

2 ● A veces los vendedores no son amables.
▼ ______________________________

3 ● La gente, en general, toma demasiadas grasas y azúcar.
▼ ______________________________

4 ● La culpa del fracaso escolar la tienen los maestros.
▼ ______________________________ *(Muy enfadado/a).*

5 ● Creo que vamos a aprobar el examen.
▼ ______________________________ *(Muy segura/o).*

b Lee.

Decir alguien que tiene razón	Decir alguien que no tiene razón
Claro que sí. Tienes razón. Sí, es así. (Eso) es cierto. (Eso) es verdad. Por supuesto = Desde luego.	No, estás equivocado. No tienes razón. Eso no es así. (Eso) es falso. (Eso) no es verdad. (Eso) es absurdo.

c Practica. Y ahora habla con tu compañero/a de alguno de estos temas. 

1 Cada vez las ciudades son más tranquilas.
2 Los españoles tienen menos hijos que antes.
3 El dinero es lo más importante del mundo.
4 La moto es más sana que la bici.
5 El fútbol es un deporte muy aburrido.
6 Tenemos que respetar y cuidar la naturaleza.

5 Lee.

Las tapas

Es una ración pequeña de comida que se toma siempre con una bebida en un bar. Hay muchas variedades y es una buena idea porque puedes tomar dos o tres tapas diferentes. Para unos es una comida o cena, para otros un aperitivo antes de comer.

A veces los españoles toman una tapa en un bar y después van a otro y a otro. Esto es el tapeo o ir de tapas.

En muchos lugares de España es bastante habitual salir a comer o cenar tapas los fines de semana. Salir de tapas es una actividad muy popular y divertida. Es un fenómeno social, una ocasión para ver a los amigos y hablar tranquilamente.

Las tapas suelen tomarse en la barra y no en una mesa. La tradición de las tapas es española y muy antigua.

Los pinchos

Se llama así a las porciones de comida muy bien cocinadas que se toman en algunos lugares de España, sobre todo en el norte. La principal diferencia con las tapas es que, en muchas ocasiones, se sirven sobre una rebanada de pan. Se llaman pinchos porque llevan un palito de madera por donde los cogemos. También se toman antes de comer o de cenar y también es un fenómeno social. Todos los años hay concursos de pinchos en diferentes lugares del País Vasco. Si vas a tomar una tapa, un pincho...

¡Buen provecho!

Contesta a estas preguntas:

- ¿De dónde son típicos los pinchos?
- ¿Qué hacen en los bares muchos españoles los fines de semana?
- ¿Qué diferencia hay entre las tapas y los pinchos?

Y ahora habla:

- ¿Has probado alguna tapa? Explica a tus compañeros/as cómo es.
- ¿Existe en tu país algo parecido?
- ¿Dónde te reúnes con tus amigos a comer?

6 Escribe.

a **En parejas. Describe con tu compañero/a esta foto:**

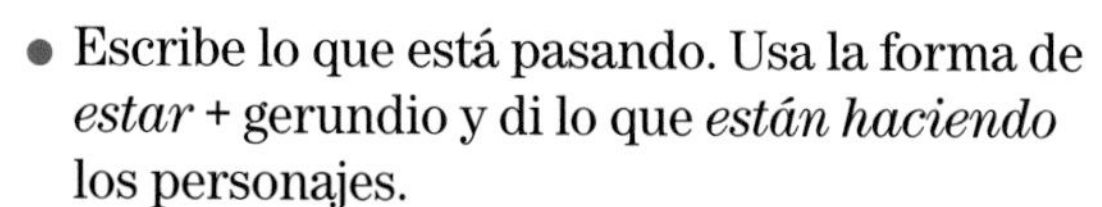

- Escribe lo que está pasando. Usa la forma de *estar* + gerundio y di lo que *están haciendo* los personajes.
- Este vocabulario puede ayudarte. *Recibir / abrir regalos, paquetes, papel de regalo, estar sorprendido/a, estar contentos, ser un regalo sorpresa, etc.*
- Aquí tienes una forma de empezar. 

Es la noche del 24 de diciembre: la familia se ha reunido para abrir los regalos. Están en una casa donde hay muchos libros...

b **Leed la descripción en voz alta. Gana la descripción más completa y mejor escrita. ¡Suerte!** 

¿Qué es de tu vida?

1. Pretexto

- José, ¿qué tal en Verona?
- ***Bien, muy bien.***
- ¿Qué haces?
- ***Te cuento. Vivo con otros tres estudiantes españoles de Erasmus. Todos tenemos clases por la mañana. Nos levantamos temprano y vamos a la Universidad. También tenemos clases de italiano. Y Verona es una ciudad increíble para estudiantes de Arte. Y tú, ¿qué tal?***
- Pues yo también he empezado las clases aquí. Oye, ¿qué tal con tus compañeros de piso?
- ***Nos llevamos estupendamente. Hay una chica, Margarita, que me gusta mucho.***
- ¡Huy! ¿De dónde es?
- ***De Toledo. Oye, que Margarita está por aquí. Cambio de tema. Ya hemos estado en Roma y en Florencia y el próximo fin de semana vamos a ir al Lago de Como. Todavía tengo dinero de todo lo que he trabajado este verano en el bar.***
- ¿Y qué tal los italianos?
- ***¿Los italianos? Me caen estupendamente. Oye, que esto es caro. Nos vemos esta noche a las 10:00 en el «messenger», ¿vale?***
- Vale, estupendo. Hasta luego.
- ***Chao.***

1 Escucha el diálogo. 12

2 Lee con tu compañero/a el diálogo y luego contesta.

- ¿Quiénes son los personajes?
- ¿Qué sabemos de cada uno? ¿Dónde están? ¿Qué han hecho y qué van a hacer?
- Hay una chica en la historia, ¿quién es? ¿Es importante? ¿Por qué?
- En el texto dice: ***nos llevamos estupendamente.*** ¿Qué crees que significa?
  a. Tenemos una relación muy buena.
  b. Vamos juntos en coche cómodamente.
- En el texto se habla de los italianos. Se dice: ***Los italianos me caen estupendamente.*** ¿Qué crees que significa esta expresión?
  a. No tengo ninguna relación con los italianos.
  b. Tengo una opinión muy buena de los italianos.

2. Contenidos

Vamos a recordar todo lo que habéis aprendido.

1 El presente. Recuerdas...

¿... el presente de los verbos regulares?

● *¿Cuántas horas **trabajas**?*	● *¿**Lees** mucho?*	● *¿**Vives** en Málaga?*
▼ *Cuarenta a la semana.*	▼ *Leo muy poco; casi nada.*	▼ *No, **vivo** en Benalmádena.*

Ahora, pregunta a tu compañero/a usando el presente de un verbo regular. 

¿... el presente de los verbos irregulares?

● *¿**Piensas** en tu futuro?*	● *¿Cuántas horas **duermes**?*	● *¿Dónde **pongo** las revistas?*
▼ *Sí, **pienso** bastante.*	▼ ***Duermo** 8 horas.*	▼ *En la mesa de tu habitación.*

Ahora, pregunta a tu compañero/a usando el presente de un verbo irregular. 

¿... el presente de los verbos reflexivos regulares?

● *¿A qué hora **te levantas**?*	● *¿**Te afeitas** todos los días?*	● *¿**Te maquillas**?*
▼ ***Me levanto** a las 6:00.*	▼ *Sí, **me afeito** todos los días.*	▼ *Sí, siempre.*

Ahora, pregunta a tu compañero/a usando el presente de un verbo reflexivo. 

En esta unidad vas a aprender:
Llevarse bien / mal con alguien. Significa tener buena / mala relación con las personas que conoces bien.

*Pedro **se lleva bien** con su jefa.*
*Mi padre últimamente **se lleva mal** con su jefe.*

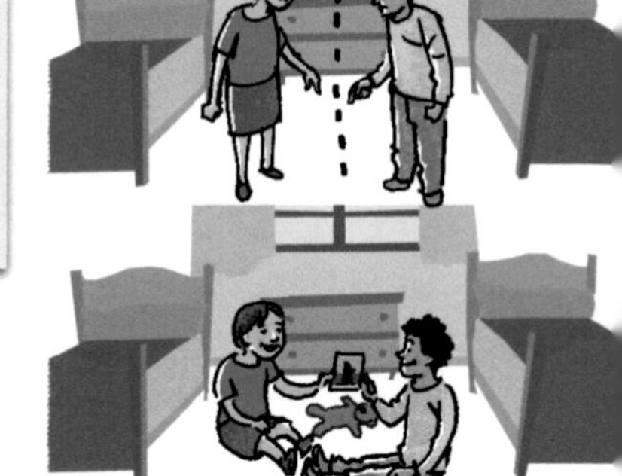

¿Y tú? 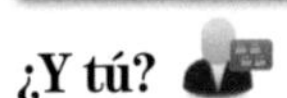

- ¿Con quién **te llevas bien**?
- ¿**Te llevas** mal con alguien?

¿... el presente de los verbos reflexivos irregulares?

● *¿A qué hora **te acuestas** los sábados?*	● *¿**Te despiertas** contento?*
▼ ***Me acuesto** tarde, muy tarde.*	▼ *Normalmente sí.*

Ahora, pregunta a tu compañero/a usando el presente de un verbo reflexivo irregular. 

¿... los verbos de objeto indirecto (*gustar*)?

● *¿**Te apetece** ir al teatro?*	● *¿Qué **te pasa**?*
▼ *No mucho. **Me apetece** más ir al cine.*	▼ *Que **me duele** la cabeza.*

En esta unidad también vas a aprender:
Caer bien / mal alguien. Significa tener buena / mala opinión sobre las personas que conocemos, conocemos poco o no conocemos personalmente.

- *A Antonia* ***le cae bien*** *la secretaria de su oficina.*
- ▼ ¿Y a ti?

¿Y tú?

- ¿Quién **te cae bien**?
- ¿Quién **te cae mal**?

¿ ... los verbos impersonales de la naturaleza?
Llueve (llover), nieva (nevar), hace frío / calor / sol / viento / buen tiempo (hace bueno) / mal tiempo (hace malo), está nublado.

Y ahora contesta: ¿Qué día hace hoy?

En equipos, elaborad un listado con todos los verbos que habéis recordado. 

Regulares	Irregulares	Reflexivos regulares	Reflexivos irregulares	Verbos como *gustar*	Verbos impersonales

2 El pretérito perfecto.
¿Lo recuerdas? Pues completa la información.

Se forma con el presente del verbo ______________ + ______________.

Esta mañana ***me he despertado*** *tarde.*
¡Qué poco ***has comido****!*
Esta mañana ***hemos salido*** *tarde.*
No ***me ha gustado*** *nada la película.*
Habéis aprendido *mucho español.*
He recibido *cinco correos electrónicos.*

- **Pregunta a tu compañero/a usando los verbos *hablar*, *leer* y *subir*.** 
- **Recuerda y completa los participios irregulares.**

Hacer: *Hecho* Decir: ________ Poner: ________ Volver: ________
Escribir: ________ Ver: ________ Abrir: ________ Romper: ________
Morir: ________ Descubrir: ________

- **Y ahora contesta a estas preguntas:**
- ¿Qué has hecho esta mañana?
- ¿Has estado en Egipto alguna vez?
- ¿Has visitado ya la catedral?

3 ¿Recuerdas los demostrativos?

AQUÍ	AHÍ	ALLÍ
Este	Ese	Aquel
Esta	Esa	Aquella
Estos	Esos	Aquellos
Estas	Esas	Aquellas

- *¿De quién son* ***estas gafas****?*
- ▼ *Creo que son de Germán.*
- *¿Quién es* ***aquella mujer****?*
- ▼ *Es la dueña del bar Chao.*
- ***Ese hombre de ahí****, ¿no es Mauricio?*
- ▼ *No, Mauricio es más joven.*

4 Hasta aquí hemos recordado. Ahora, aprende algo nuevo. Sustantivos masculinos y femeninos irregulares.

- Los sustantivos que terminan en **-o** son masculinos. Excepción: *la mano, la modelo, la soprano.*
- Los sustantivos que terminan en **-or** son masculinos. Excepción: *la flor.*
- Los sustantivos que terminan en **-a** son femeninos. Excepción: *el mapa, el pijama, el sofá, el día, el clima, el idioma, el problema, el tema, el programa, etc.*
- Los sustantivos que terminan en **-zón** son femeninos. Excepción: *el corazón.*

3. Practicamos los contenidos

1 Conjuga los siguientes verbos irregulares en presente. Elige cinco verbos, uno de ellos reflexivo, y haz cinco preguntas a tu compañero/a. Él/Ella debe elegir cinco verbos diferentes para hacer sus preguntas.

	Nosotros/as	Él / Ella	Tú	Ustedes	Yo
Recordar	*recordamos*				
Apagar					
Dar					
Acostarse					
Encontrar					
Jugar					
Empezar					
Saber					
Tener					
Poder					
Despertarse					
Conocer					
Traer					
Hacer					
Poner					
Traducir					
Oír					
Pedir					
Divertirse					
Decir					
Probarse					

2 Esta noche Margarita y José están hablando tranquilamente después de cenar. 14 com Escucha las cosas que dicen y completa el diálogo con los verbos que oyes.

Margarita: Mañana *es* el cumpleaños de mi abuela. (1) ______ 68 años. Es una abuela estupenda.
José: ¿Sí? Mi abuela, (2) ______ mucho mayor. (3) ______ 82 años.
Margarita: Mi abuela Carmen ya (4) ______ jubilada, ¡claro!, pero siempre (5) ______ cosas; así (6) ______ feliz. Tiene 5 hijos, mi madre es la mayor. A mi abuela le (7) ______ andar. (8) ______ todos los días dos horas. (9) ______ delgada y fuerte, de cuerpo (10) ______ una mujer mucho más joven.
José: Pues la mía (11) ______ la típica abuela. (12) ______ una mujer de pueblo. (13) ______ en el norte de Tenerife, en Santa Úrsula. (14) ______ muchísimo toda su vida: sus ocho hijos, el campo, los animales, y, después, los nietos.
Margarita: Los sábados, aquí en Verona, (15) ______ de ella porque (16) ______ muy bien y siempre (17) ______ comidas para sus hijos y nietos. También (18) ______ mucho contar historias de su familia. (19) ______ inteligente y muy comprensiva. (20) ______ bien con toda la gente conocida. Para mí solo (21) ______ un defecto y es que (22) ______ demasiado limpia y ordenada. Pero bueno... todos (23) ______ defectos y ser así no (24) ______ nada terrible.
José: Pues a mí la gente ordenada (25) ______. ¿(26) ______ por su cumpleaños?
Margarita: Sí, claro que (27) ______.

3 a En parejas. ¿Cuándo o con qué frecuencia hacéis estas acciones?

Expresiones de frecuencia

siempre • casi siempre • a menudo = con frecuencia • a veces • de vez en cuando • casi nunca • nunca

Ir al trabajo en moto.

- *¿Cuándo (o con qué frecuencia) vas al trabajo en moto?*
- *Nunca. No tengo moto.*

1. Tomar té.
2. Salir con amigos los viernes por la noche.
3. Navegar por Internet.
4. Ir a la ópera.
5. Visitar a tus abuelos.
6. Estudiar oyendo música.
7. Mirar las estrellas.
8. Discutir de política.
9. Ir de compras.
10. Ayudar a personas necesitadas.

b En parejas. ¿Has hecho estas acciones alguna vez?

Trabajar en el campo.
- *¿Has trabajado alguna vez en el campo?*
- *Sí, muchos veranos.*

1 Cantar en público.
2 Comer pescado crudo.
3 Coleccionar sellos.
4 Trabajar de camarero/a.
5 Mandar flores a alguien.
6 Escribir un poema de amor.
7 Pintarse las uñas de negro.
8 Ver una película islandesa.
9 Conducir un taxi.
10 Trabajar en una oficina.

4 Completa con los pronombres reflexivos (*me, te, se, nos os, se*) o con los pronombres personales de objeto indirecto (*me, te, le, nos, os, les*).

1 ● José *se* levanta muy temprano porque las clases empiezan a las 8:00.
▼ Pues a mí no ____ gusta tener clases tan pronto.
2 ● Mis amigos ____ marchan a Costa Rica.
▼ ¡Qué suerte! ____ apetece mucho viajar allí.
3 ● Los españoles ____ acuestan muy tarde.
▼ Es verdad, en mi país la gente ____ acuesta mucho antes.
4 ● Nosotras nunca ____ secamos el pelo con secador. Dicen que es malo para el pelo.
▼ No, eso no es verdad.
5 ● Mi jefe y yo no ____ llevamos bien, nunca estamos de acuerdo.
▼ Es normal, a veces los jefes...
6 ● Los estudiantes italianos ____ llaman Claudia y Paolo.
▼ ¿Claudia? ¿No ____ llama Mónica?
7 ● ¿____ molesta el ruido?
▼ Sí, ____ molesta mucho. Por favor, ¿puedes cerrar la ventana?
8 ● ¿Qué tal el concierto de jazz?
▼ A mí ____ ha encantado, pero a mucha gente ____ ha parecido aburrido.
9 ● ____ gusta mucho el profesor de matemáticas.
▼ ¿Sí? A mí ____ cae muy mal.
10 ● Esta tarde ____ apetece ir al cine, ¿vamos?
▼ Vale, estupendo.

5 Completa con uno de los verbos siguientes: *probarse, probar, llevarse bien / mal, caer bien / mal*, en presente, pretérito perfecto o en infinitivo.

1 ● En mi casa no tengo problemas porque (yo) *me llevo bien* con mis hermanos.
▼ Pues ¡qué suerte!, yo a veces no.
2 ● Me gusta mucho el profesor de Literatura.
▼ ¿De verdad? (A mí) ________ muy mal.
3 ● ¿Quieres ________ la sopa?
▼ No, gracias, es que no me gusta.
4 ● Mi jefa y yo ________, nunca estamos de acuerdo.
▼ Hay que tener paciencia con las jefas y con los jefes, ¿no?
5 ● ¿No ________ la falda?
▼ No es necesario, siempre uso la misma talla.
6 ● (Yo) No ________ con la gente demasiado seria.
▼ Pues (a mí) ________ la gente autoritaria.
7 ● (Yo) ________ el bañador del año pasado y me queda perfectamente.
▼ ¡Qué suerte! Yo tengo que comprarme otro de una talla más grande.
8 ● Para la cena del sábado voy a hacer cebiche.
▼ ¿Qué es? Nunca lo he comido.
● Un plato de pescado hecho a la peruana, pero espera hasta el sábado y así lo ________.
9 ● ¡Qué mal (a mí) ________ los vecinos nuevos!
▼ ¿Cómo puedes decir eso si solo los has visto una vez?
10 ● Últimamente mi hermana y yo ________.
▼ Me alegro mucho.

6 **Subraya el demostrativo adecuado y fíjate en el género de las palabras.** sub

1

2

3

4

5

6

7

4. En situación

Conversaciones y mensajes telefónicos.

Antes de escuchar la situación tienes que saber el vocabulario relacionado con el teléfono. Mira las imágenes y pregunta a tu profesor/a para asegurarte de que entiendes todas las palabras.

Número de teléfono
Llamar por teléfono / Hablar por teléfono
Responder o contestar a una llamada
Contestador automático (en el fijo) / Buzón de voz (en el móvil)
Dejar un mensaje

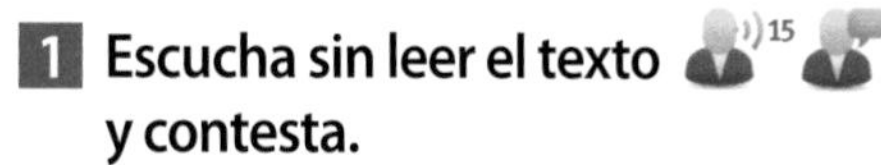

1 **Escucha sin leer el texto** 15 **y contesta.**

- *¿Cuántas conversaciones telefónicas oyes?*
- *¿Todas las llamadas son a teléfonos fijos?*
- *¿Por qué quien llama no puede hablar en tres casos?*

2 Lee los textos. 

1 Hola está usted llamando al 969 34 57 61. No estamos en este momento, por favor, deje su mensaje después de la señal. Gracias.

2 Servicio de compañía Lemon: el teléfono al que usted llama se encuentra apagado o fuera de cobertura en este momento.

3
- ● ¿Dígame?
- ▼ ¿Está Carlos, por favor?
- ● Claro, ahora se pone. Carlos, para ti.
- ▼ ¡Hola, Carlos! Soy Ana.
- ● ¿Qué tal, Ana?, ¿cómo estás?
- ▼ Bien, bien... Mira, te llamo para saber si quieres venir el sábado al concierto de Julieta Venegas.
- ● ¡Claro que quiero! Me apetece mucho.
- ▼ ¿Entonces nos vemos mañana para sacar las entradas? ¿A las 17:30?
- ● Fenomenal, a las 17:30 en el «Musical».
- ▼ Muy bien. Hasta mañana. Chao.

4
- ● Compañía de seguros «La Malagueña». ¿En qué puedo ayudarle?
- ▼ Buenos días, necesito hablar con la señora Rico García.
- ● ¿De parte de quién?
- ▼ De Sergio Del Alcázar.
- ● Lo siento, señor Del Alcázar, pero en este momento está en una reunión. Por favor, ¿puede llamar dentro de 30 minutos?
- ▼ De acuerdo. Adiós.

3 Vuelve a escuchar la grabación sin el texto. 15

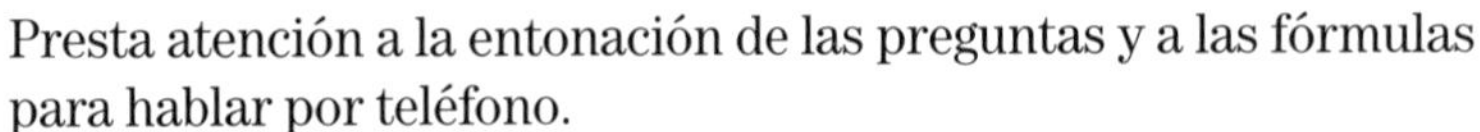

Presta atención a la entonación de las preguntas y a las fórmulas para hablar por teléfono.

Contesta:

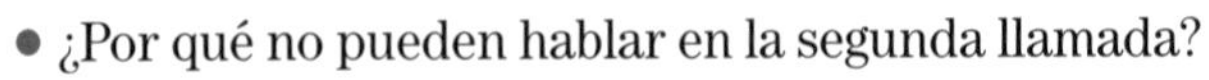

- ¿Por qué no pueden hablar en la segunda llamada?
- ¿Adónde van a ir Carlos y Ana?
- ¿Con quién quiere hablar el señor Del Alcázar? ¿Puede hacerlo?

Estructuras y recursos para hablar por teléfono

- **Al descolgar:**
  - *¿Sí?* (es más informal)
  - *¿Dígame?*
  - *Compañía... ¿dígame?*
- **Para preguntar:**
  - *Por favor, ¿está...?*
  - *Por favor, ¿puedo hablar con el señor / la señora...?*
- **Para contestar:**
  - *¿Quién eres?* (solo en los teléfonos particulares, nunca en el de lugares públicos)
  - *¿De parte de quién?*
  - *Sí, ahora mismo se pone.*
  - *Lo siento en este momento no está. Por favor, ¿puede/s llamar más tarde?*

En otros países de América *dígame* se dice:

¡Oigo! ¿Sí? ¿Diga? (Cuba)
¡Hola! ¿Quién habla? (Uruguay)
¡Hola! ¿Sí? (Argentina)
¡Aló! (Chile)
¡Aló! ¡A ver! (Colombia)
¿Bueno? (México)

4 Te toca. 

Llama a tu amigo/a chileno/a.	Llama a la oficina de turismo de la Universidad para pedir información sobre los cursos de español para extranjeros.	Deja un mensaje en el contestador automático de tu amiga Marina.

5. De todo un poco

1 Describe un animal, un objeto o un lugar a tus compañeros/as. Ellos/as tienen que adivinar cuál es.

a *Es un animal pequeño. Tiene el pelo blanco y negro y las orejas pequeñas y altas. Tiene los ojos verdes y una cola larga. Es muy bonito y simpático. Tiene 8 meses.*
(Solución: mi gato.)

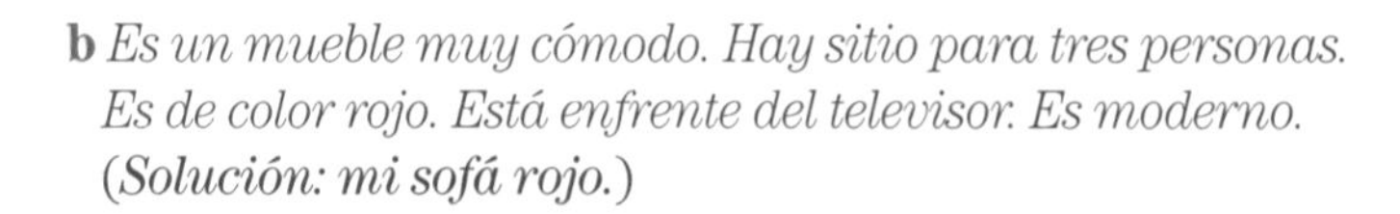

b *Es un mueble muy cómodo. Hay sitio para tres personas. Es de color rojo. Está enfrente del televisor. Es moderno.*
(Solución: mi sofá rojo.)

c *Es un lugar donde la gente va especialmente en verano. Hay muchas en el mundo. En España hay muchísimas. Tienes que tener cuidado con el sol si vas a este lugar.*
(Solución: la playa.)

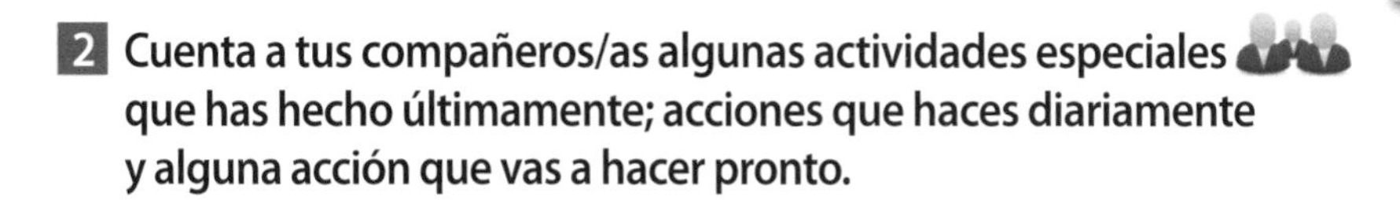

2 Cuenta a tus compañeros/as algunas actividades especiales que has hecho últimamente; acciones que haces diariamente y alguna acción que vas a hacer pronto.

Últimamente he trabajado en un restaurante.

Me ducho todos los días.

Como tres veces al día.

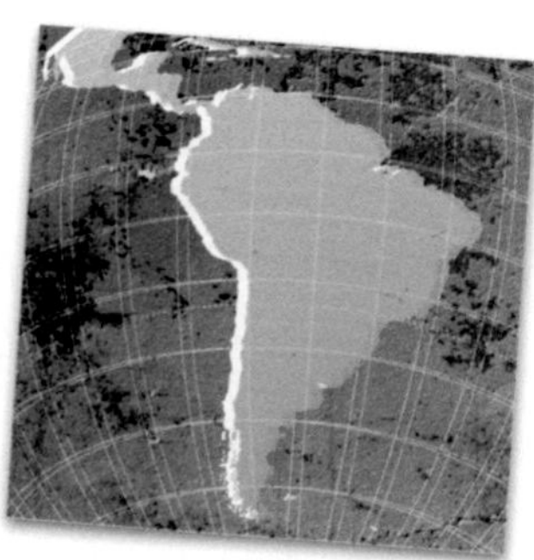

Pronto voy a viajar por Latinoamérica.

3 ¿Quién lo encuentra antes?
(Podéis preparar esta actividad para otro día.)

1. Dividir la clase en tres equipos (si el grupo es numeroso, pueden ser más).
2. Cada equipo elige o un cuadro famoso, o un personaje real o imaginario, pero muy conocido o una película muy famosa y escribe características sobre cada uno.
3. Colocar en círculo toda la clase y sortear qué equipo empieza. Ese equipo dice si ha elegido un objeto, un personaje o un lugar.
4. El resto de los equipos tiene que hacer preguntas usando estos recursos: *quién, de quién, con quién; qué, de qué, con qué, por qué; cuándo, a qué hora; dónde, de dónde, adónde; cómo; cuánto/a/os/as* y todo el vocabulario que ya sabe.
5. Cada equipo puede hacer cinco preguntas y dar una respuesta. Si es correcta se apunta un punto. Si no es correcta, pasa al equipo siguiente. No puede repetir las preguntas anteriores.
6. Cuando todos los equipos han preguntado, si no saben la respuesta, el equipo en juego da la solución leyendo lo que ha escrito antes y se anota un punto.
7. Cuando todos los equipos han participado, se cuentan los puntos.

Las Meninas *de Diego Velázquez.*
- *¿**De quién** es el cuadro?*
- *De un pintor español.*
- *¿**Donde** está?*
- *En el Museo del Prado de Madrid.*
- *¿**Cuántos** personajes hay en el cuadro?*
- *Nueve personas y un perro.*
- *¿**De qué** época es el cuadro?*
- *No es moderno; es del siglo XVII.*
- *¿**Qué colores** tiene el cuadro?*
- *Sobre todo, blancos, grises y marrones.*

Nicole Kidman
Los Otros
Alejandro Amenábar

4 Escucha atentamente y contesta a las preguntas.

Diálogo 1	¿Está Jorge en casa? ______
Diálogo 2	¿Van a ir Marisa y Pepe al Café Central a las 15:15? ______
Diálogo 3	¿Coge Cecilia el teléfono? ______
Diálogo 4	¿En el contestador de quién tiene que dejar el mensaje? ______
Diálogo 5	¿Qué número de teléfono necesita? ______
Diálogo 6	¿Qué está haciendo Pepe? ______

5 Lee. 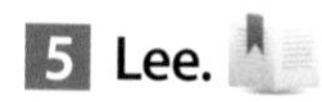

Te presentamos, en primer lugar, una carta familiar.

- Ponemos dos puntos (:) detrás de *Querido/a + el nombre*:
- Después preguntamos por su salud y su vida: *¿Qué tal estás?* y explicamos la razón de la carta.
- Nos despedimos con: *Un abrazo / Un abrazo muy fuerte / Besos / Un beso.*
- Y finalmente, firmamos.

a **Lee esta carta y subraya:** 
- Dónde está y ha estado Margarita.
- Por qué envía información a Luciana.
- Qué escuela le parece mejor.

Querida Luciana:
¿Cómo estás? Ya estoy en España después de pasar cuatro meses en Verona. Te envío información sobre dos escuelas de español, a ver cuál prefieres. Las dos son buenas. Conozco algunos estudiantes que han hecho cursos en las dos y todos están muy contentos. Como quieres prepararte para el curso de Erasmus, quizá te conviene más la segunda porque tiene cursos personalizados. No sé. Si necesitas algo más, escribe y te informo.

Un abrazo muy fuerte y hasta pronto,
Margarita.

b **Aquí tienes información sobre dos escuelas de español. Compara lo que ofrece cada una y señala las diferencias que hay. ¿Cuál te parece más adecuada para una persona que quiere prepararse antes de hacer un curso en la Universidad? Justifica tu respuesta.**

Academia Avance

Situada en el mismo centro de Málaga, nuestra academia cuenta con un equipo de profesionales (profesores y profesoras, secretarias, guías) con amplia experiencia. Cada curso dura, como mínimo, dos semanas, de lunes a viernes 4 horas diarias. Todos los fines de semana tenemos una excursión: Granada, Córdoba, Sevilla y Marruecos. Dos tardes a la semana, damos clase de flamenco. También damos cursos extra de cultura, español comercial.

¡Póngase en contacto con nosotros!

Escuela Pedregalejos

Nuestra escuela está situada en Málaga, al lado de la playa. Cerca hay bares y restaurantes. Ofrecemos cursos personalizados, según las necesidades de cada alumno y también programas de Cursos intensivos de español creados por un experimentado grupo de profesionales de la Educación. Te damos información sobre lugares de interés que puedes visitar.
Las clases son confortables y están bien equipadas. En ellas hay todo lo que puedes esperar: *wifi*, un jardín interior, acceso para minusválidos, televisión y DVD, aire acondicionado, etc.

¡Te esperamos!

6 Escribe. 

Ya estás aquí de vuelta. Escribe un correo electrónico a tu amigo/a hispanohablante contando tu último viaje con detalle.

¿Adónde fuiste?

¿Cómo fuiste?

¿Qué comisteis?

¿Qué visitasteis?

¿Dónde dormisteis?

¿Con quién fuiste?

Las principales anécdotas que te ocurrieron, etcétera.

Puedes usar los marcadores temporales: *primero, después, luego, más tarde* y todos los que has estudiado en esta unidad.

También tienes modelos en el **Pretexto**; en **Practicamos los contenidos** y tienes *el vocabulario de elementos paisajísticos.*

Mail Archivo Edición Visualización Buzón Mensaje Formato Ventana Ayuda

Nuevo mensaje

Enviar Chat Adjuntar Agenda Tipo de letra Colores Borrador

Para:

Cc:

Asunto:

Un poco de nuestra Historia

5

1. Pretexto

- ¿Cómo llevas el examen* de Historia de América?
- ***Creo que bien. ¿Y tú?***
- Así, así. Tengo que repasar algunas cosas.
- ***Si quieres, te tomo la lección*.***
- Muy bien. Toma el libro. Pregunta algo.
- ***A ver... Vale. ¿Qué sabes de los incas?***
- Los incas..., los incas. Hoy en día son conocidos como el imperio del sol, su dios más importante. ¡Fíjate! Durante mucho tiempo el sol o el inti* fue la moneda del Perú moderno.
- ***¡Hala! ¡Cuánto sabes! ¡Más, más!***
- Fueron una civilización y un imperio que ocupó las tierras de los actuales países de Bolivia, Perú, Ecuador, parte de Chile y de Argentina y el sur de Colombia.
- ***¿Y en qué época vivieron?***
- El imperio inca empezó a formarse en el siglo XV y se terminó en el siglo XVI, cuando llegaron los españoles. La capital del imperio fue Cuzco, que en su lengua significa «el ombligo del mundo». Bueno, en realidad, hubo un periodo preincaico en el siglo XII con Manco Cápac. Él mandó construir el famoso Templo del Sol.
- ***¡Muy bien! Seguro que apruebas el examen. Oye, ¿y el quechua se habla todavía en Perú?***
- Sí, y también en Bolivia. Otro día te cuento la leyenda de Manco Cápac y su esposa.
- ***¿Y por qué no ahora?***
- Porque ahora vamos a descansar.

* ***¿Cómo llevas el examen?:*** *¿tienes bien preparado el examen?*
* ***Tomar la lección:*** *preguntar para comprobar que se sabe lo estudiado.*
* ***Inti:*** *palabra quechua para decir sol.*

1 Escucha el diálogo. 24

2 Lee el diálogo con tu compañero/a con la entonación adecuada. 

3 Contesta a estas preguntas.

- Mira las fotos, ¿señala en el texto a qué hacen referencia?
- ¿Qué están haciendo los adolescentes? ¿Por qué?
- ¿De qué y de quiénes hablan en el diálogo?
- ¿Qué es el quechua?
- ¿Por qué mencionan algunos países de América del Sur?
- ¿Qué opina la chica de las respuestas del chico?

4 Y ahora, reflexiona. 

- Subraya las formas verbales que se refieren al pasado.
- ¿Las conoces todas? Coloca en el cuadro las que conoces y las nuevas.

FORMAS DEL PASADO CONOCIDAS	FORMAS DEL PASADO NUEVAS

2. Contenidos

1 Pretéritos indefinidos irregulares.

En la unidad anterior estudiaste el pretérito indefinido de los verbos regulares y el de cinco verbos irregulares, ahora vas a estudiar muchos más.

a **-uv-**: *estar, andar, tener.*

est**uv**e / est**uv**iste / est**uv**o / est**uv**imos / est**uv**isteis / est**uv**ieron

Completa.

anduve / anduviste / anduvo / ______ / ______ / ______ /

tuve / tuviste / ______ / ______ / ______ / ______ /

- *Ayer **estuvimos** en una tienda de informática nueva.*
- *¿Y te gustó?*
- *Muchísimo.*

b **-j-**: *traer* y los verbos que terminan en **-ducir**: *traducir, conducir, reducir.*

tra**j**e / tra**j**iste / tra**j**o / tra**j**imos / tra**j**isteis / tra**j**eron

Completa.

traduje / tradujiste / tradujo / ______ / ______ / ______ /

conduje / ______ / ______ / ______ / ______ / ______ /

reduje / ______ / ______ / ______ / ______ / ______ /

- *Anteayer **trajeron** la lavadora.*
- *Bueno, por fin...*

c **Cambian una vocal.**

*P**o**der* (**u**), *h**a**cer* (**i**), *v**e**nir* (**i**).

p**u**de / p**u**diste / p**u**do / p**u**dimos/ p**u**disteis /p**u**dieron

Completa.

hice / ______ / ______ / ______ / ______ / ______ /

vine / ______ / ______ / ______ / ______ / ______ /

- *¿**Pudisteis** hablar con la coordinadora?*
- *Sí, hablamos con ella y todo quedó claro.*

d **Cambian una vocal y una consonante.**

*Qu**er**er* (**is**), *p**on**er* (**us**), *s**ab**er* (**up**), *d**ec**ir* (**ij**).

qu**is**e / qu**is**iste / qu**is**o / qu**is**imos / qu**is**isteis / qu**is**ieron

Completa.

puse / ______ / ______ / ______ / ______ / ______ /

supe / ______ / ______ / ______ / ______ / ______ /

- *Ismael no **quiso** venir a la reunión.*
- *¿Por qué?*
- *No tengo ni idea.*

e. **Cambian en las terceras personas del singular y del plural.**

e > i: *pedir, servir, seguir, conseguir, reírse, sonreír, vestirse, divertirse, repetir, sentirse, preferir.*

pedí / pediste / p**i**dió / pedimos / pedisteis / p**i**dieron

- *Anoche estuvimos en un restaurante y **pedimos** salmón a la pimienta.*
- *¿Y os gustó?*
- *Mucho.*

Conjugad los demás verbos.

f **-y-**: *oír, creer, leer, construir, destruir, caer(se).*

oí / oíste / o**y**ó / oímos / oísteis / o**y**eron

- *Álvaro **oyó** la noticia en la radio.*
- *Yo la oí en la calle.*

Conjugad los demás verbos. 

2 Pesos y medidas.

un litro
medio litro

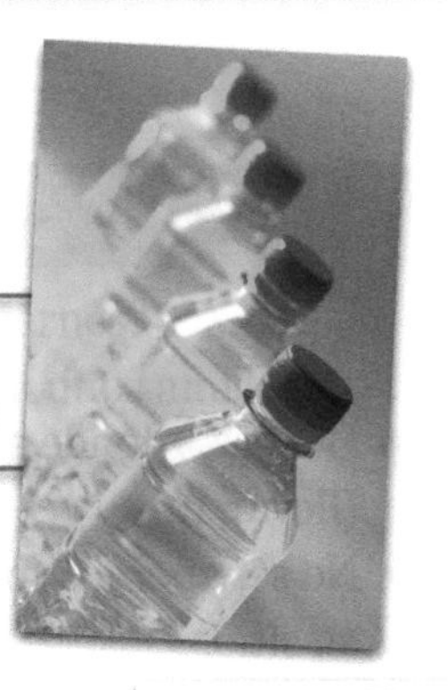

un kilo = 1000 gramos
medio kilo (1/2) = 500 gramos
un cuarto (1/4) = 250 gramos
tres cuartos (3/4) = 750 gramos

Los alimentos vienen en:

caja

lata

bolsa

paquete

botella

3 ¿Recuerdas estos verbos? Algunas veces pueden causar confusión.

Saber (hacer) cosas / + dónde, quién, qué, cómo, etc.
Conocer personas, ciudades, países.
Encontrar cosas, a personas después de buscar o por casualidad.
Poder tener la posibilidad de hacer cosas.
Tocar instrumentos de música.
Poner hacer funcionar aparatos eléctricos.

ATENCIÓN

Usamos *conocer* y no *encontrar* cuando vemos a alguien por primera vez.

*Esta mañana **hemos conocido** a la monitora de gimnasia.*

4 ¿Recuerdas los indefinidos? Los aprendiste en *Nuevo Avance 1*, en la Unidad 9. Vamos a recordarlos y a practicarlos.

algún / alguna	**ningún / ninguna**	**mucho/a**	**poco/a**
algunos/as		**muchos/as**	**pocos/as**
alguien	**nadie**	**todo/a/os/as**	
algo	**nada**		

● *¿Tienes **algún** amigo argentino?*
▼ *Sí, tengo **algunos**.*

Algo de + nombre incontable: *Queda **algo de** vino en la botella.*
Nada de + nombre incontable: *No hace **nada de** frío.*

● *Me voy a la cama porque tengo **mucho** sueño.*
▼ *Hasta mañana.*

6 Escribe. 

Últimamente te han pasado algunas cosas no muy buenas. Escribe un correo electrónico a tus amigos. Puedes ordenar los hechos así.

- primero
- luego / más tarde
- además
- al final

Ejemplo: *El día empezó mal: me levanté tarde. Luego...*

Mail Archivo Edición Visualización Buzón Mensaje Formato Ventana Ayuda

Nuevo mensaje

Enviar Chat Adjuntar Agenda Tipo de letra Colores Borrador

Para:

Cc:

Asunto:

¡Qué tiempos aquellos!

1. Pretexto

Publicidad aspirina
Tengo un recuerdo de muy pequeña. A mi padre, a veces, le *dolía* la cabeza y algunas veces *entraba* en el comedor para coger Aspirina.Yo *estaba* en la cama despierta. A veces *tenía* miedo, pero cuando *veía* la luz por debajo de la puerta, el miedo *desaparecía*, porque *sabía* que él *estaba* ahí.
Quizás por eso le tengo más cariño.

La fiesta de cumpleaños
Cuando *éramos* pequeños *celebrábamos* los cumpleaños en casa. Nuestras madres *preparaban* bocadillos y *hacían* la tarta. *Venían* amigos que *traían* regalos. Cuando *aparecía* la tarta, todos *aplaudíamos* y *cantábamos* «Cumpleaños feliz». Después, *jugábamos* toda la tarde. ¡Ah! ¡Qué recuerdos!

El 600
El 600 era el coche típico de los años 60. Lo *llamábamos* utilitario. *Era* pequeño, pero *parecía* de goma: en él *cabía* mucha gente. *Tenía* dos puertas que se *abrían* al revés que en los coches de ahora.

Benidorm y Torremolinos
En los años 60 y 70 los españoles *iban* de vacaciones a Benidorm y Torremolinos. *Eran* dos ciudades costeras, no muy grandes. *Tenían* hoteles y edificios de apartamentos.

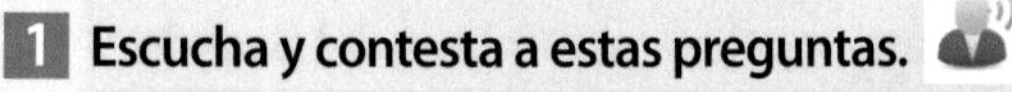
1 Escucha y contesta estas preguntas. 

- ¿Qué formas verbales nuevas encuentras?
- ¿En qué textos hay descripción? ¿En qué textos hablamos de costumbres del pasado?
- ¿Qué crees que significa **le tengo mucho cariño** (texto 1):

  a. le tengo respeto **b.** lo quiero mucho **c.** lo recuerdo

- ¿Qué crees que significa **aplaudir** (texto 2) a., b., c. o d.?
- ¿Has tenido algún recuerdo especial cuando has visto estas fotos o has leído estos textos?

a

c

b

d

3 La playa antes y ahora.

Observa estos dibujos y dinos qué ha cambiado en la playa y en la actitud de las personas.

La playa de antes

La playa de ahora

4 Debate.

Primero, señala si estás de acuerdo o no con estas afirmaciones.
Después, compara tus respuestas con las de tu compañero/a.
Para terminar, haced una puesta en común de todas las opiniones.

	Estoy de acuerdo	No estoy de acuerdo	Mi compañero/a
La medicina alternativa no es gratis como la tradicional.			
La medicina tradicional abusa de los medicamentos.			
En los casos importantes, solo funciona la medicina tradicional.			
El médico alternativo dedica tiempo al cuerpo y a la mente del paciente.			
La medicina alternativa no publica estudios con los resultados de curación.			
Muchos de los que practican la medicina alternativa no son médicos.			
La medicina alternativa busca la causa de las enfermedades.			
La medicina alternativa solo sirve para enfermedades leves.			
La medicina alternativa cura con medios naturales.			

5 Lee.

a **Antes de leer.**
- Poned en común las palabras que recordáis relacionadas con la decoración.
- Explica a tus compañeros/as cómo es la casa de tus sueños.

b **Durante la lectura.**
Subraya las palabras que habéis mencionado.

c **Después de leer.**
Contesta a estas preguntas 
- ¿Qué opina Patricia de las revistas de decoración?
- ¿Qué problemas tiene cuando mira estas revistas?

Compara la casa de tus sueños con  **la que aparece en el texto.**

Esta carta aparece en la sección «Cartas al director» de la revista *Hogar XXI*, pensamos que sí, que afortunadamente, la mujer que escribe tiene razón.

Lee la carta y opina. 

Hola a tod@s:*

Como a muchas de las personas que compramos *Hogar XXI*, me encanta ver revistas de decoración. Siempre imagino cómo puede quedar mi casa adornada y decorada con esas cosas tan bonitas.

Miro las fotos mucho tiempo para recordar todo lo que estoy viendo. Me imagino los cambios que puedo hacer; pienso si los muebles son del estilo de mi casa, si los colores son apropiados..., pero, de pronto, mi ilusión desaparece cuando veo los precios de mis muebles favoritos, de las cortinas, de las alfombras, etc., porque sé que no puedo comprarlos.

La casa de mis sueños es grande, con mucha luz, con pocos muebles, pero muy especiales, con una cocina moderna, como la de un buen restaurante, con sofás cómodos y con un salón y una terraza tan grandes que pueden estar veinte personas sentadas. Bueno, dejo de soñar y pienso que, afortunadamente, hoy en día hay tiendas que no son caras y que tienen muebles de diseño parecidos a los que he visto en las revistas y que, posiblemente, si ahorro un poco, puedo comprarlos.

Las revistas también presentan ideas de objetos baratos y de buen gusto que dan un toque personal y muy especial a la casa, por ejemplo un florero, un cuadro, o una tela sobre el sofá.

También en estas revistas aprendes a hacer cosas tú misma. Yo ya he hecho algunas y estoy muy contenta del resultado.

La verdad es que, como ya he dicho, me gusta mucho mirar las revistas porque me dan ideas y a mí me encanta mi casa y la decoración.

Os envío un saludo,
Patricia

* La arroba @ la usan algunas personas para marcar el masculino y femenino: tod@s = todos + todas.

6 Escribe. 

Vuelve a leer el Pretexto. Elige una foto de otra época –tu familia, la casa de tus abuelos, un mueble...– y descríbela.
Recuerda todo lo que has aprendido en esta unidad y todo lo que ya sabes: *estar* o *hay*, expresiones para localizar y los adjetivos para la descripción.

Estos son mis tíos de jóvenes.

La niña de la derecha soy yo y la de la izquierda mi hermana.

Aquí están mis padres Ana y Francisco.

Mi abuela Concha cuando era joven.

Mi habitación en la casa de campo de mi abuela, está en el último piso.

Repaso

Unidades 4, 5 y 6

1 Interactúa. 

El fin de semana pasado fue especial para ti. Tu compañera de clase y amiga Xia quiere saber todo lo que hiciste. Y, claro, tienes que contárselo en español.

Xia: Bueno, ¿y qué tal el fin de semana?
Me parece que bien, ¿no?

Tú: Sí, fue un fin de semana estupendo.
El viernes por la tarde llamé a X y...

2 Habla.

Esta historia es real. Joaquín habla de los recuerdos de su infancia. No es muy normal lo que cuenta, pero es un recuerdo auténtico.

Me llamo Joaquín y tengo 33 años. Soy de Málaga. Cuando era niño, unos tíos míos tenían un perro que se llamaba Piribichi. A mí me encantaba jugar con él. A veces creía que yo también era un perro. Por eso tenían que llamarme como se llama a los perros y no por mi nombre. Levantaba la pata, hacía exactamente lo mismo que el perro. Olía todo y tod[...]ía, a mi edad, huelo todo lo que veo, sobre todo a mi hija. E[...] y estoy un poco loco. Ya lo sé.

Ahora, cuen[...] [...]fancia o niñez. Si no quieres hablar de t[...] [...]esante o divertido.

3 Escucha.

Vas a escuchar un texto sobre Colombia.

a **Antes de escuchar: ¿Qué sabes sobre Colombia?**

b **Escucha esta información sobre Colombia y contesta a estas preguntas.** 32

1 ¿Por qué es conocida Colombia?

2 ¿Quién es Gabriel García Márquez?

3 ¿Con qué nombre se conocía Bogotá? ¿Por qué?

4 ¿Por qué es importante *El Espectador*?

5 ¿Qué es una cumbia?

c **Después de escuchar y de contestar a las preguntas, mira lo que has escrito al principio. ¿Hay muchas diferencias? ¿Has coincidido con lo que se dice en el texto?**

4 Escucha. 

Vas a oír hablar de cuatro lugares artísticos: la Puerta de Alcalá (Madrid), el Parque Güell (Barcelona), la Torre del Oro (Sevilla) y el Museo Guggenheim (Bilbao).

¿Has oído hablar de ellos? ¿Conoces alguno de ellos?

El Parque Güell

La Puerta de Alcalá

El Museo Guggenheim

La torre del Oro

Di si es verdadero o falso.

1 Antes de la actual Puerta de Alcalá ya existía otra.	V	F
La Puerta de Alcalá es de estilo modernista.	V	F
2 El Parque Güell es un jardín.	V	F
Lo diseñó Antoni Gaudí.	V	F
3 La Torre del Oro tiene doce lados.	V	F
La Torre del Oro está en Sevilla.	V	F
4 Hay otros museos Guggenheim por el mundo.	V	F
El museo de Bilbao tiene menos de 10 años.	V	F

Y ahora lee el texto completo.

El rey Carlos III mandó construir al arquitecto Sabatini una nueva ***Puerta de Alcalá****, en Madrid. Es de estilo neoclásico. Se inauguró en 1778 como puerta de entrada a la ciudad. En 1869 se remodeló la plaza y ya nunca más sirvió de puerta, pero es uno de los monumentos representativos de la ciudad.*

El Parque Güell*, de Barcelona, es un gran jardín con elementos arquitectónicos y esculturas de animales muy características del estilo de su autor. Lo diseñó el arquitecto modernista Antoni Gaudí, por encargo del empresario Eusebi Güell. Lo construyó entre 1900 y 1914 y en 1922 fue declarado parque público. En 1984 la UNESCO incluyó al Parque Güell como Lugar Patrimonio de la Humanidad.*

La Torre del Oro *está en Sevilla. Tiene doce lados y está formada por tres cuerpos. El primer cuerpo fue construido en el siglo XIII. El segundo cuerpo fue construido en el siglo XIV. El cuerpo superior fue construido en 1760. Fue declarada monumento histórico-artístico en 1931 y ha sido restaurada varias veces.*

El Museo Guggenheim *de Bilbao, como todos los de la Fundación Solomon Guggenheim, está dedicado al arte contemporáneo. Este museo abrió sus puertas en 1997. Hoy en día es el símbolo turístico y cultural más importante de la ciudad de Bilbao.*

5 Lee.

Antes de leer.

- ¿Has oído hablar de la dieta mediterránea?
- ¿Conoces los alimentos básicos de esta dieta? Enuméralos.

La dieta mediterránea

La dieta mediterránea es la forma de alimentación que, desde tiempos antiguos, mantienen los pueblos que viven alrededor del mar Mediterráneo. En esta dieta encontramos la influencia de todos los pueblos que han pasado por estos países.

La dieta mediterránea aconseja:

1. Consumir muchos alimentos de origen vegetal: frutas, verduras, pan, pasta, arroz, cereales, legumbres y patatas.

2. Tomar alimentos de temporada en su estado natural, siempre los más frescos.

3. Utilizar el aceite de oliva como grasa principal, tanto para freír como para aderezar.

4. Consumir diariamente una cantidad moderada de queso y yogur.

5. Tomar semanalmente una cantidad moderada de pescado, preferentemente azul, aves y huevos.

6. Consumir frutos secos, miel y aceitunas con moderación.

7. Tomar carne roja solo algunas veces al mes.

8. Beber vino con moderación normalmente durante las comidas y preferentemente tinto.

9. Utilizar las hierbas aromáticas como una alternativa saludable a la sal.

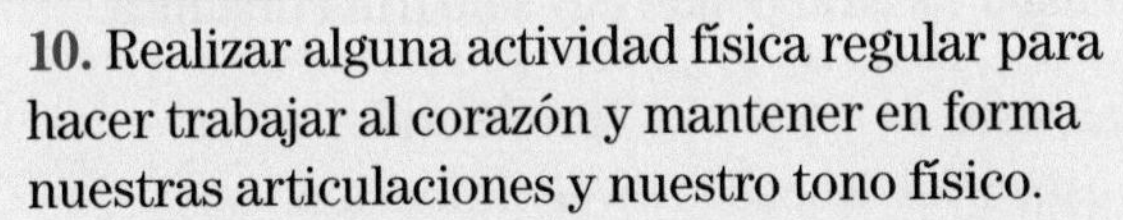

10. Realizar alguna actividad física regular para hacer trabajar al corazón y mantener en forma nuestras articulaciones y nuestro tono físico.

http://www.sabormediterraneo.com/salud/dietamediterranea.htm

Contesta a estas preguntas:

1 ¿Se recomienda el consumo de alguna bebida alcohólica? ¿Cuál?
2 ¿Hay que tomar mucho queso?
3 ¿Qué se puede hacer para no abusar de la sal?
4 ¿Qué ayuda al corazón? ¿Se pueden tomar grasas?
5 ¿Cada cuánto hay que consumir la carne, el pescado y el huevo?

6 Escribe.

Mira y lee este anuncio que has encontrado en la escuela.

A ti no te gusta esquiar. Escribe un anuncio parecido para proponer una excursión a un lugar menos frío.

ANUNCIOS

Excursión a Sierra Nevada

Hay mucha nieve. Si quieres venir, estoy en la sala de alumnos en la pausa para dar información.
Me llamo Annika.

7 Elige la opción correcta.

1 Cuando reservas en un hotel una habitación en 'pensión completa' están incluidas:
a. Todas las comidas.
b. La comida y una visita a la ciudad.

2 *(En la frutería)*
● ¿Quién es ______?
▼ Yo, señor.
a. el turno **b.** el último

3 ● ¿Qué concierto ______ anoche en la tele?
▼ Uno que no me gustó.
a. punieron **b.** pusieron

4 ● ¿Cuántas personas ______ a la conferencia?
▼ Más o menos cien.
a. había **b.** fueron

5 ¿Sabes qué es un parque natural?
a. Un lugar natural.
b. Un lugar natural donde hay solo fruta orgánica.

6 ● ¿Has visto a ______ profesora?
▼ Sí, está en el despacho de coordinación.
a. nosotras **b.** nuestra

7 Ayer ______ a tu novio en el centro.
a. encontré **b.** vine

8 *(En el restaurante, el camarero)*
¿______?
a. Van a poner ya la mesa **b.** Han reservado mesa

9 El vasco o euskera es una lengua latina.
a. Falso. **b.** Verdadero.

10 Antes ______ todas las semanas a correr por el paseo marítimo, pero últimamente no tengo tiempo y no voy.
a. iba **b.** fui

11 ● ______ más alto de la España peninsular es el Mulhacén.
▼ Ya lo sabía.
a. El volcán **b.** El pico

12 ● Tengo que comprarme unas botas; estas están ya viejas.
▼ Las mías ______ pero no tengo dinero para comprar otras.
a. tampoco **b.** también

13 No ______ hablar japonés, por eso voy a ir a Japón para aprender.
a. puedo **b.** sé

14 ● Es escritor, de Pamplona, y el año pasado ______ un premio por su última novela.
▼ No sé quién es.
a. recibió **b.** ha conseguido

15 ● ¿______ tu abuelo un hombre alegre?
▼ Sí, siempre ______ contento.
a. Estaba / estaba **b.** Era / estaba

16 «Tomar la lección» significa,
a. hacer preguntas sobre una lección que ya has estudiado.
b. marcar las cosas que no comprendes de una lección.

17 En 1978 los españoles aprobaron ______.
a. la Transición **b.** la Constitución

18 *(En el mercado, el cliente)*
● ______ medio kilo de filetes de pechuga de pollo.
▼ Ahora mismo.
a. Pones tú **b.** Póngame

19 El domingo pasado ______ a una exposición y diez minutos más tarde ______. No me gustó nada.
a. me iba / me salía **b.** fui / me marché

20 ● Me duele ______.
▼ ______ demasiado.
a. la espalda / Fumabas **b.** la garganta / Fumas

21 ● ¿Qué sabes de Nuria?
▼ Que la semana pasada ______ un accidente de moto, pero no le ______ nada.
a. tuvo / pasó **b.** tenía / pasaba

22 ● Antes, ¿cómo ______ este parque?
▼ ______ mucho más tranquilo y ______ más limpio.
a. fue / Estaba / era **b.** era / Era / estaba

23 ¿Qué necesitas si los zapatos nuevos te molestan?
a. Unas tiritas. **b.** Unos tapones.

Si tú me dices ven...

1. Pretexto

7

1 **Escucha, lee y contesta.** 

- ¿Conoces todas las palabras de estos carteles?
- Busca en el diccionario la(s) palabra(s) desconocida(s).
- Lee los textos y subraya las formas que se parecen al presente.
- Con tu compañero/a, decid cuál es el infinitivo de cada verbo.

2 **Y ahora, habla.**

- ¿Que diferencia hay entre los dos primeros anuncios y el tercero?
- ¿Por qué es importante la solidaridad?
- ¿Qué coches forman parte de los sueños? (¿Los grandes, los deportivos...?)

2. Contenidos

1 Imperativo.

a ¿Cómo se forma?

- **Imperativos regulares.**

	Verbos en *-ar*	Verbos en *-er*	Verbos en *-ir*
tú	Habl-**a**	Com-**e**	Viv-**e**
usted	Habl-**e**	Com-**a**	Viv-**a**
vosotros/as	Habl-**ad**	Com-**ed**	Viv-**id**
ustedes	Habl-**en**	Com-**an**	Viv-**an**

✓ Recordad que en Hispanoamérica usan *ustedes* en lugar de *vosotros/as*.

Tres trucos para recordar las formas:

- Para la forma ***vosotros/as*** basta con cambiar la **-r** del infinitivo por una **-d**.
  *habla**r** → habla**d**.*
- Para la forma ***usted*** / ***ustedes*** basta con cambiar la letra de la terminación: **-a** por **-e**; **-e** por **-a**.
  *habl**a** → habl**e**; com**e** → com**a**; viv**e** → viv**a**.*
  *habla**n** → habl**en**; com**en** → com**an**; viv**en** → viv**an**.*
- Para la forma ***tú*** usa la 3.ª persona de singular del presente:
  - ● *Tengo un problema con Juan.*
  - ▼ *Pues, **habla** con él para solucionarlo.*
  - ● *Tengo que adelgazar.*
  - ▼ *Es fácil, **come** menos dulces y **pasea** mucho.*

- **Imperativos irregulares.**

Todos los imperativos excepto los ocho siguientes tienen la misma irregularidad del presente.

- ● ***Cierra** la ventana, por favor, que hace frío.*
- ▼ *Ahora mismo.*

- ● *El director no está, **vuelvan** mañana a las 10:00.*
- ▼ *Es que nunca está en su despacho..*

ATENCIÓN

La forma ***vosotros/as*** siempre es regular y puedes aplicar el mismo truco que antes.

***Volved** pronto, por favor.*

Ocho imperativos con irregularidad propia.

	Decir	Hacer	Ir	Poner	Salir	Ser	Tener	Venir
tú	**Di**	**Haz**	**Ve**	**Pon**	**Sal**	**Sé**	**Ten**	**Ven**
usted	Diga	Haga	Vaya	Ponga	Salga	Sea	Tenga	Venga
vosotros/as	Decid	Haced	Id	Poned	Salid	Sed	Tened	Venid
ustedes	Digan	Hagan	Vayan	Pongan	Salgan	Sean	Tengan	Vengan

b ¿Cuándo usamos el imperativo? 

1. Para dar consejos e instrucciones.

- *Tengo que adelgazar.*
- *Es fácil, **come** menos dulces.*

- *Si salís este fin de semana, **tened** cuidado, hay mucha gente en las carreteras.*
- *Tranquila, que no vamos lejos.*

2. Para dar permiso.

- *¿Puedo entrar?*
- ***Pasa, pasa**.*

- *¿Qué te parece si hago una paella para la comida del domingo?*
- *Por mí, **haz** paella el domingo, el lunes, el martes... me encanta la paella.*

3. Para pedir algo a otros.
Fíjate: **Detrás de una orden en imperativo, a veces usamos *que*, en lugar de *porque*.**

- *Francis, **pon** la mesa **que** ya vamos a comer.*
- *Vale. Estoy muerto de hambre.*

- *Por favor, **cierra** la ventana, que hace frío.*
- *Bueno, la cierro, pero yo no tengo frío.*

2 Los pronombres y el imperativo.

Los pronombres van siempre detrás del imperativo formando una sola palabra.

Imperativo + ***lo, la, los, las***

- *¿Puedo abrir ya el regalo?*
- *¡Claro! **Ábrelo**.*

*La solidaridad da sentido a tu vida, **practícala**.*

***Discúlpanos**. Hemos estado pensando en tus sueños.*

- *¿Dónde pongo los periódicos?*
- ***Métalos** en esa bolsa y **llévalos** al contenedor.*

3 Oraciones condicionales con *si*.

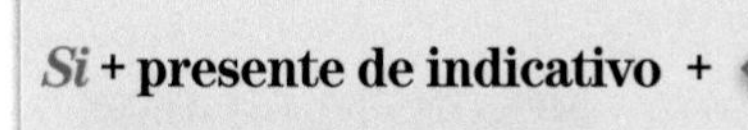

Si **+ presente de indicativo +**
- **presente de indicativo**
- ***ir a*** **+ infinitivo**
- **imperativo**

***Si no entendéis** alguna palabra, **podéis** usar el diccionario.*

***Si** el examen **es** muy difícil, no **va a aprobar** nadie.*

***Si quiere** estar en forma, **haga** ejercicio todos los días.*

4 Medios de comunicación y publicidad.

radio

televisión

periódico

cine

revistas

libro

folleto

anuncio

PUBLICIDAD

marca

agencia

cartel

3. Practicamos los contenidos

1 Ya has aprendido a dar consejos y a expresar obligación. Relaciona estas columnas de forma que tengan sentido.

1 No sé qué hacer para aprobar.
2 ¿Ya tienes el permiso de conducir?
3 ¿Vienes a clase?
4 Quiero ir a un buen abogado.
5 ¿Dónde pueden estar las llaves?
6 Hoy tengo una cena de trabajo.
7 No queda dinero en casa.
8 ¿Estoy muy mal, doctor?
9 Oye, están llamando.
10 Me parece que cada día hablo peor.

a ¡No, mujer! Pero debes practicar más.
b Mira en tu mesa, seguro que están ahí.
c Es verdad, mañana voy al banco.
d Estudia más, ¿dónde está el problema?
e ¡Hombre! Muy mal, no, pero debe seguir mis consejos.
f No, hay que tener 18 años y todavía tengo 17.
g Pues entonces, tienes que llamar antes y pedir cita.
h Abre tú, que yo estoy en el baño.
i Hoy no puedo, tengo que ir al dentista.
j ¡Ah! Pues llámame después si no terminas muy tarde y tomamos algo juntos.

2 Aquí tienes diez consejos para disfrutar más de tus vacaciones. Pon los infinitivos en imperativo y ordénalos según su importancia.

- ☐ (Hacer) *Haz* deporte en compañía.
- ☐ (Empezar) ________ el día con calma.
- ☐ (Pasar) ________ menos tiempo viendo la televisión.
- ☐ (Realizar) ________ tres veces al día diez respiraciones profundas.
- ☐ (Usar) ________ lo menos posible el ordenador portátil.
- ☐ Si vas a pasar las vacaciones en tu casa, (olvidar) ________ todas las tareas habituales y (descansar) ________.
- ☐ (Tener) ________ cuidado con el móvil, (hablar) ________ solo lo necesario.
- ☐ (Contemplar) ________ la naturaleza y (disfrutar) ________ de su belleza.
- ☐ (Dar) ________ algo a alguien sin esperar nada.
- ☐ (Hacer) ________ algo agradable y tranquilo.

3 Completa con la forma correcta del imperativo y añade una explicación como en el ejemplo.

¡Chicos! ***Apagad los cigarrillos, que*** *aquí está prohibido fumar.*
explicación

1 Tienes frío, la ventana está abierta. ¿Qué le dices a tu compañero? ¿Cuál es la explicación?
____ (Cerrar)

2 En la tele hay un programa que te interesa y no puedes verlo. ¿Qué le dices a tu marido? ¿Cuál es la explicación?
____ (Grabar)

3 Estás cocinando y suena el teléfono. ¿Qué le pides a tu amiga? ¿Cuál es la explicación?
_______________ (Coger) / (Contestar)

4 Es la hora y Katia (la perra) tiene que salir. ¿Qué les dices a tus hijos? ¿Cuál es la explicación?
_______________ (Sacar)

5 El salón está muy desordenado. Va a venir gente a cenar. Habla con tus compañeros y explica por qué tienen que hacer lo que les pides.
_______________ (Ordenar)

6 Tu amigo siempre llega tarde. Eso da mala impresión ¿Qué le aconsejas? ¿Cuál es la explicación de tu consejo?
(Ser) _______________ más puntual.

7 Hay problemas con el agua. ¿Qué dice la campaña del Ayuntamiento a los ciudadanos? ¿Cuál es la explicación de la campaña?
(Gastar) _______________ solo el agua necesaria.

8 Tú no puedes cocinar hoy porque tienes clase a las tres. Tu compañera tiene más tiempo. ¿Qué le pides? ¿Cuál es la explicación de tu petición?
_______________ (Hacer)

9 Hace mucho frío fuera. Es necesario encender la calefacción. ¿Qué le dices a tu compañera? ¿Cuál es la explicación? _______________ (Encender)

10 Tus alumnos tienen que acabar los ejercicios. Es la hora. ¿Qué les dices? ¿Cuál es la razón de tu petición?
(Terminar) _______________ por favor.

4 Completa estos diálogos con la forma correcta. Fíjate en los pronombres.

1
- ¿Puedo abrir la ventana? Es que hace mucho calor.
- Claro, (abrirla) *ábrela*.

2
- Si vas a salir, (coger, tú) _______ el paraguas que está lloviendo.
- Vale, (dármelo) _______.

3
- ¿Quieres algunos consejos para el primer día de clase?
- Sí, por favor, (decirme, tú) _______ algo, que estoy muy nerviosa.

4
- ¿Qué hago con estos periódicos?
- (Meterlos, tú) _______ en una bolsa y (tirarlos) _______ al contenedor.

5
- Buenos días, ¿han salido las notas de Lengua?
- Sí, (mirarlas, vosotros) _______ en el tablón.

6 (*Contestando al teléfono*) ¿Sí? (decirme, usted) _______. (Oír, usted) _______ ¿Quién llama?

7
- ¡Me duele mucho la cabeza!
- ¡Normal! Estás encerrado todo el día, (dejar, tú) _______ el ordenador durante un rato, (dar) _______ un paseo y (respirar) _______ un poco de aire puro.

8
- ¡Oye! Este programa es muy aburrido, (cambiar, tú) _______ de canal.
- Bueno, pero dentro de unos minutos empiezan las noticias.
- Entonces, (dejarlo) _______.

9
- (Abrir, vosotros) _______ el libro por la página 59 y (hacer) _______ la primera actividad en parejas.
- ¿Podemos usar el diccionario?
- Bueno, (usarlo) _______, pero solo si es necesario.

10 (*En el médico*)
- (Sacar, usted) _______ la lengua. (Respirar) _______ profundamente.
- No es nada grave ¿verdad, doctora?

5 **En parejas, completad las oraciones, como en el ejemplo, de forma que tengan sentido. Podéis usar las ideas del recuadro u otras más originales.**

Si estás de vacaciones y llueve todo el tiempo, ***vuelve a casa y deja las vacaciones para otro momento.***

llamar a alguien • comer de todo y disfrutar • tomar una aspirina • comprar un antivirus • parar en un sitio poco peligroso • coger un taxi y volver al hotel • subir a su casa y protestar • ir a la policía • decir algo divertido • salir a la calle y mirar escaparates

1 Si te roban en la calle, ______________________ .

2 Si estás muy aburrido, ______________________ .

3 Si en una autopista ves que tu coche no tiene gasolina, ______________________ .

4 Si entra un virus en tu ordenador, ______________________ .

5 Si tus vecinos ponen la música muy alta hasta las cinco de la madrugada, ______________________ .

6 Si durante una semana nadie te llama por teléfono, ______________________ .

7 Si te invitan a una cena maravillosa mientras ***estás a dieta****, ______________________ .

8 Si te duele la cabeza, ______________________ .

9 Si te pierdes en una ciudad desconocida y no puedes comunicarte con la gente, ______________________ .

10 Si tu profesor/a no está de buen humor, ______________________ .

* ***Estar a dieta:*** *comer de forma especial para adelgazar o por razones de salud.*

6 **Completa con las palabras estudiadas en el vocabulario.**

1 ● Cualquiera que sale en la *televisión* se hace famoso.
▼ Es verdad. Y no siempre por razones importantes.

2 ● Yo siempre pongo la __________ en el coche para estar informado.
▼ Yo prefiero poner música.

3 ● ¿Venís al __________?
▼ ¿Qué película ponen?

4 ● Me encanta __________ que anuncia las fiestas de primavera.
▼ A mí también. Es muy original.

5 ● En las __________ del corazón hablan de la vida de los famosos.
▼ A mí no me interesan, pero a mucha gente le gustan.

6 ● Hemos reservado el hotel en una __________ de viajes.
▼ Así es más barato, ¿no?

7 ● En muchos países falsifican los relojes de __________.
▼ Es que los auténticos son muy caros.

8 ● La gente compra los perfumes que ve en los __________.
▼ Y muchas cosas más.

9 ● ¿Cómo te informaste del crucero?
▼ Lo vi en un __________ en la oficina de Información y Turismo.

10 ● Siempre leo el __________ en Internet.
▼ Pues yo lo compro cada día.

4. En situación

En el hotel.

1 Escucha la grabación sin leer el texto y contesta. 36

- *¿Cuántas personas intervienen en la conversación?*
- *¿Cómo son las habitaciones que tienen disponibles?*
- *¿Cuánto cuesta la habitación que han elegido?*

2 a Lee el texto con dos compañeros/as y comprueba si tus respuestas son correctas.

b Subraya las fórmulas de cortesía.

- ● Buenos días, ¿habla usted español?
- ▼ Sí, señora, ¿en qué puedo ayudarla?
- ● Quería una habitación para tres noches para dos personas.
- ▼ Un momento por favor..., sí, tenemos una con vistas a la calle y otra que da al jardín. ¿Desean verlas?
- ● Sí, por favor.
- ▼ Aquí tenemos la 129 que da al jardín, pero en esta época no hay mucha gente. La 311 da a la calle. En verano hay mucho ruido, pero ahora es muy tranquila. Las dos tienen minibar, aire acondicionado...
- ● ¿Qué opinas, cariño?
- ◆ A mí me gusta más la del jardín, ¿y a ti?
- ● ¿Cuánto vale?
- ▼ Son 75 euros con desayuno.
- ● A mí me parece bien.
- ◆ A mí también. Nos quedamos en la 129.
- ▼ Muy bien. ¿Pueden dejarme sus pasaportes, por favor?
- ● Sí, claro, aquí los tiene. ¡Ah!, una cosa más, hemos aparcado el coche enfrente del hotel, ¿tienen un aparcamiento vigilado?
- ▼ Sí, señora, pueden dejar el coche ahí, es gratuito.

Recursos para...

- **Atender a los clientes:**
  - (Saludar) *¿En qué puedo ayudarla/le...?*
  - *¿Puede/n dejarme su pasaporte o su DNI?*
  - *Puede/n dejar el coche en el aparcamiento.*
- **Expresar preferencias:**
  - *A mí me gusta más...*
  - *A mí también.*
- **Aceptar una propuesta:**
  - *(A mí) me parece bien.*
  - *A mí también.*

3 **Te toca.**

Completa los diálogos. com

Recepcionista: Buenas tardes,
¿ ______________ ?
Cliente: ______________ individual.
Recepcionista: Lo siento, solo podemos ofrecerle una doble con uso individual.
Cliente: ¿ ______________ ?
Recepcionista: Son 57 euros, sin desayuno.
Cliente: ¿ ______________ ?
Recepcionista: El desayuno buffet vale15 euros.
Cliente: No, ______________ , me quedo ______________ .

Cliente: ______________ , tengo ______________ reservada a nombre de Luis Osorio.
Recepcionista: ______________ , señor Osorio, sí, aquí está su reserva. Es la habitación 225.
Cliente: ¿ ______________ ?
Recepcionista: Muy tranquila, ______________
Cliente: Muy bien, porque necesito descansar estos días. ¿ ______________ ?
Recepcionista: Sí, señor, puede dejar su coche ahí, ______________ . Por favor, ¿ ______________ rellenar esta ficha?
Cliente: Claro.

4 **Con tu compañero/a representad una situación parecida.** 

- No tenéis reserva y preguntáis si hay habitaciones.
- Hay una habitación interior.
- Queréis verla.
- La recepcionista os la enseña.
- Preguntáis el precio.
- Decidís si os gusta o no.

5. De todo un poco

1 **Vuelve a leer bien la actividad 2 de Practicamos los contenidos.**
En parejas o pequeños grupos, escribid consejos para otras cosas.

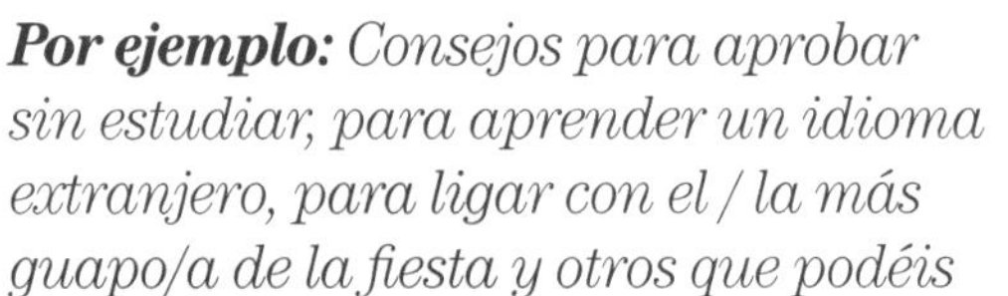

Por ejemplo: *Consejos para aprobar sin estudiar, para aprender un idioma extranjero, para ligar con el / la más guapo/a de la fiesta y otros que podéis proponer vosotros/as.*

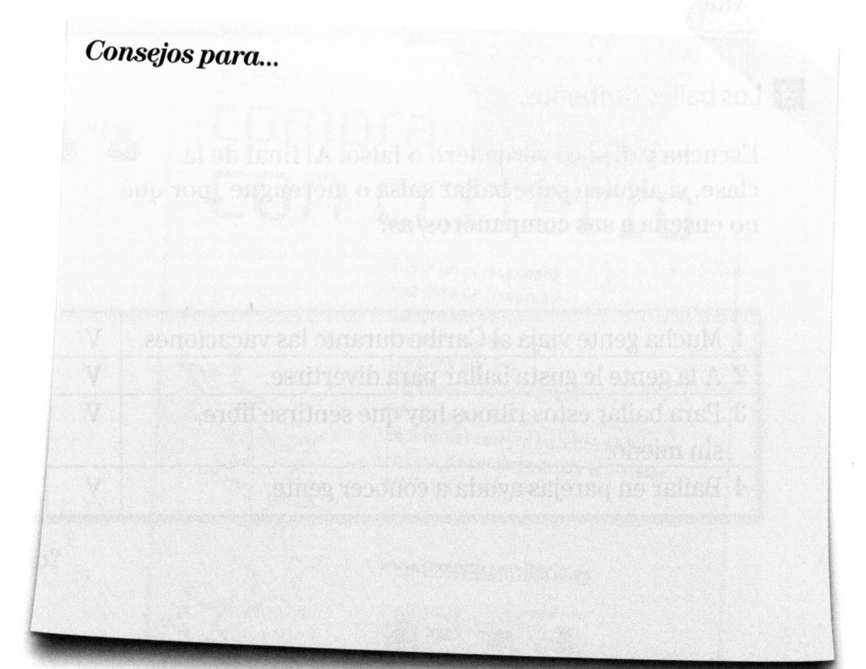

b Licoristas de España te desea felices fiestas y te recuerda:

Bebe con moderación.
Es tu responsabilidad.

Disfruta de tu bebida tranquilamente.
Bebe poco.
Consume productos de calidad.
Elige el lugar adecuado.
Bebe con la comida o después de la comida.
Vuelve andando o en coche con personas que no han tbebido.
Recuerda que quien bebe no conduce.
Respeta las normas: los menores no beben alcohol.
Recuerda que si estás embarazada o estás enfermo no debes beber.
Disfruta de la bebida de forma consciente.

Lee atentamente el texto y resume los consejos que se refieren a la forma de beber. 

Busca en el texto los consejos relacionados con el coche, la moto. 

¿Qué deben hacer los enfermos y las embarazadas? 

6 Escribe.

Te vas una semana de viaje. Escribe una nota (en imperativo) a tu vecino/a (no está en casa en este momento) con las cosas que tiene que hacer. No olvides: la comida y el agua del gato, regar las plantas, recoger el correo, encender una luz de noche, etc. Al final, da las gracias.
¡Ah! Y no olvides comprar un regalito para tu vecino/a antes de volver de viaje.

Hola, Juan. Soy Cristina. Me marcho 10 días a Barcelona. Por favor, pon comida y agua a Micifú una vez al día...

Cuaderno de viajes

1. Pretexto

La profesora nos ha pedido un trabajo sobre nuestra estancia en España. Yo he decidido hacer un cuaderno de viaje **porque** me gusta mucho la fotografía. **Así que** empiezo este cuaderno para no olvidar todo lo que he visto. **Cuando** miro estas fotos otra vez, vuelvo a vivir momentos maravillosos.

Comentario: Unos amigos de mi familia me invitaron a cenar en su casa. Para ellos la fiesta más importante es la Nochebuena (la noche del 24 de diciembre) **por eso** ponen una mesa tan elegante. No celebran la Navidad, **ni** la noche del 31 de diciembre (Nochevieja) **ni** los Reyes Magos (la noche del 5 al 6 de enero).

Comentario: Este hombre se llama Juan Galea. Vive en Istán, un pueblo blanco de Málaga. Está haciendo cestas **que** la gente del pueblo usa para poner la fruta, las patatas…

Comentario: Parece el norte de España, **pero** es el sur: es la Sierra de las Nieves. Este paisaje está solo a unos 15 km de la Costa del Sol. Está protegido hace mucho tiempo.

Comentario: Este gesto **que** hace Liliana tocándose la cara varias veces significa «¡qué cara más dura tienes!». En mi país no lo hacemos.

1 Escucha. 

2 Escribe y habla. 

- Elige una foto y descríbela. Te servirá para recordar muchas cosas que ya sabes.
- Al terminar la descripción pregunta a tus compañeros/as si han elegido la misma fotografía. Comparad vuestras descripciones.

3 Ahora reflexiona. 

- Lee los textos que acompañan a las fotografías y di qué palabras de las que están en negrita expresan causa y cuáles expresan consecuencia.
- ¿Por qué crees que se usa ***ni*** en el comentario de la primera fotografía?
- ¿A qué palabra(s) se refiere ***que*** en los comentarios dos y cuatro?
- La expresión «**¡Qué cara más dura tienes!**» se usa:
  a. Cuando alguien se comporta sin sentir vergüenza.
  b. Cuando alguien se pone colorado/a al actuar en público.
  ¿Haces tú este gesto? ¿Cuándo?

8

2. Contenidos

1 Conjunciones.

Ya sabes usar muchas conjunciones. Aquí te las presentamos ordenadas y te damos más información.

PORQUE
Sirve para expresar la causa. Recuerda que para preguntar debes usar *¿Por qué...?*

ATENCIÓN

Fíjate en la diferencia entre esta conjunción y las que expresan consecuencia.

He decidido hacer un cuaderno de viaje. Me gusta mucho la fotografía. ➔ *He decidido hacer un cuaderno de viaje **porque** me gusta mucho la fotografía.*

Las navidades son muy importantes para mis amigos. Preparan una cena muy elegante. ➔ *Mis amigos preparan una cena muy elegante **porque** las navidades son muy importantes para ellos.*

Y	NI
Sirve para unir palabras y oraciones. Se convierte en *e* cuando la palabra siguiente empieza por *i-* o *hi-*. *Me gustan mucho el cine **y** el teatro* (une dos palabras). *Me levanto muy temprano, voy a correr **y** luego me ducho **y** voy a trabajar* (une oraciones). *Me encanta merendar pan **e** higos como hacía mi abuela.*	**Tiene la misma función que *y*, pero se usa cuando une elementos negativos.** ***No** me gusta el cine; **no** me gusta el teatro.* ➔ ***No** me gusta **ni** el cine **ni** el teatro* (une palabras). *Yo **no** me levanto temprano, **ni** voy a correr, pero sí voy a trabajar* (une oraciones).

PERO	
Sirve para restringir lo expresado anteriormente.	*Entiendo mucho, **pero** hablo muy poco.* *Parece el norte de España, **pero** es el sur.*

POR ESO y ASÍ QUE	
Sirven para expresar la consecuencia de un hecho anterior.	*Me gusta mucho la fotografía. Voy a hacer un cuaderno de viaje.* ➔ *Me gusta mucho la fotografía **así que** voy a hacer un cuaderno de viaje.* *Las navidades son muy importantes para mis amigos y preparan una cena muy elegante.* ➔ *Las navidades son muy importantes para mis amigos, **por eso** preparan una cena muy elegante.*

CUANDO: expresa tiempo	
Sirve para unir dos oraciones.	*Miro estas fotos. Vuelvo a vivir momentos maravillosos.* ➔ ***Cuando** miro estas fotos otra vez, vuelvo a vivir momentos maravillosos.* *Estoy nervioso y fumo.* ➔ ***Cuando** estoy nervioso, fumo.* *Llegué a casa y me acosté.* ➔ ***Cuando** llegué a casa, me acosté.* *Trabajaba en el campo y me levantaba muy temprano.* ➔ ***Cuando** trabajaba en el campo, me levantaba muy temprano.*

2 *QUE* relativo.

El relativo ***que*** se refiere a una palabra anterior que se llama antecedente.

Juan está haciendo cestas. La gente usa las cestas para poner la fruta.
➔ *Juan está haciendo cestas **que** la gente usa para poner la fruta.*

Cestas	+ ***que*** +	la gente usa...
Antecedente	+ ***que*** +	oración

La oración introducida por ***que*** relativo sirve para especificar o concretar el significado de las palabras a las que se refiere por medio de una oración.
Es la misma función que cumplen los adjetivos y la construcción 'preposición + sustantivo'.

*Istán es un pueblo **que está en Málaga**.*
*Istán es un pueblo **malagueño**.*
*Istán es un pueblo **de Málaga**.*

3 Expresar otras relaciones temporales.

Desde (que + verbo)	Hace (que + verbo)
Se usa para indicar el principio de una acción. **Atención:** ***no se usa nunca con cantidades de tiempo.*** *Vivo en España **desde** 2002.* ***Desde** el verano pasado estamos sin trabajo.* **Necesitamos la conjunción *que* para introducir una oración.** ***Desde que** llegué a España, estoy yendo a clases de español.* **Para preguntar:** *¿**Desde cuándo** vives en España?* **Para responder:** *(Vivo en España)* **Desde** *2002.*	**Se usa para indicar el tiempo total que ha pasado entre dos momentos.** **Atención: no se usa nunca con fechas.** *Vivo en España desde 2002. Estamos en 2009. Han pasado siete años.* ➔ *Vivo en España **hace** siete años.* *Llegué a las 11:00. Son las 12:30 y estoy esperando.* ➔ *Estoy esperando **hace** una hora y media.* *Este paisaje está protegido **hace** mucho tiempo.* ***Hace*** **+ cantidad de tiempo +** ***que*** **+ oración.** ***Hace** siete años **que** vivo en España.* **Para preguntar:** *¿**Cuánto tiempo hace que** estás esperando?* **Para responder hay dos posibilidades:** ***Hace** hora y media. / **Desde** las 11:00.*

4 Los aeropuertos.

Equipaje de mano

Exceso de equipaje

Sala de espera

Retraso

Mostrador de embarque

Facturar

Monitor

Objetos perdidos

Cola

Aterrizar

3. Practicamos los contenidos

1 Forma oraciones con elementos de las tres columnas. 

1. Me gusta mucho el cine
2. En esa reunión he conocido a personas maleducadas
3. Siempre me levanto temprano
4. No soporto el ruido
5. Iremos de excursión a la nieve
6. Me pidió ayuda
7. Me han regalado un ordenador portátil, tres libros

cuando
por eso
y
así que
ni
e

ignorantes.
llega el buen tiempo.
los gritos.
estoy haciendo un curso de dirección.
yo le presté dinero.
un vídeo de Mayumaná.
preparad ropa de abrigo.

2 **Completa con las palabras del recuadro.**

y (2) • por eso • cuando • que (2) • así que • pero • ni

He viajado mucho por España. *Por eso* puedo decir que es un país (1) ________ tiene paisajes muy variados. Una gran sorpresa ha sido descubrir que el sur no es solo playa (2) ________ campos de golf. Hay también montañas (3) ________ hacen pensar en el Norte. (4) ________ he hablado con otros extranjeros, he comprobado que muchos tienen una idea de España muy folclórica (5) ________ estereotipada. (6) ________ yo creo que tienen que ver con sus propios ojos todo lo que hay; (7) ________ vengan (8) ________ viajen (9) ________ con la mente abierta.

3 **Forma una sola oración usando el relativo *que*. Señala su antecedente.**

Liliana hace un gesto. Este gesto significa «¡qué cara más dura!».
→***El gesto que hace Liliana*** *significa «¡qué cara más dura!».*
Antecedente

1 El rojo es un color. Es el color que más me gusta.
El rojo es ________________

2 Una niña llora todas las noches. Es la hija de mis vecinos. *La niña* ________________

3 Esas montañas parecen del norte. Están cerca de la Costa del Sol.
Las montañas ________________

4 Mucha gente compra cestas para fruta. Las hace Juan Galea.
Las cestas ________________

5 Me gusta una chica. Tiene los ojos negros.
La chica ________________

6 Tengo muchos amigos y amigas. Son de todo el mundo.
Tengo muchos amigos y amigas ________________

7 Vivo en una casa. La casa fue de mis abuelos.
Vivo en ________________

4 **Completa con el relativo *que*, un adjetivo o con una construcción con preposición.**

*No puedo salir este fin de semana porque tengo unos amigos ________ vienen a cenar a casa (amables / **que** / de Cuenca)→No puedo salir este fin de semana porque tengo unos amigos* ***QUE*** *vienen a cenar a casa.*

1 Hoy voy a salir de tapas con mis alumnos ________ *(extranjeros / por Internet / que).*

2 Victoria ha alquilado un piso ________ mi familia tiene en el centro *(del centro / que / céntrico).*

3 Voy a hacer la receta ________ me enseñó Piedad *(de pescado / fácil / que).*

4 Encontré esta información ________ buscando en Internet *(sobre España / que / amarilla).*

5 ¿Habéis visto la estatua ________ han puesto en el parque *(de piedra / grande / que)*?

6 Hemos leído un libro ________ nos ha encantado *(que / interesante / de informática).*

7 Concha tiene un nieto ________ de tres años *(precioso / que / de plástico).*

En la mesa.

★ ¡Qué rico! Eres un artista, no sé cómo lo haces.
◆ Todo está buenísimo, oye ¿de dónde sacas tiempo para hacer tantas cosas?
◗ ¿Sí? ¿Te gusta? Es que me encanta la cocina y, además, me relaja. ¿Queréis un poco más?
◆ Yo no puedo más, de verdad, es que no suelo cenar mucho.
▼ Venga, un poquito.
★ Bueno, pero muy poco, en serio.
● Yo quiero un poco más, es que está...
▼ ¿Qué os parece si abrimos ahora el vino de Málaga para acompañar los pasteles que han traído Birgit y Martin?
❋ Sí, buena idea, estupendo.

Aspectos socioculturales

Observa las siguientes costumbres:

- **Al llegar:**

Quien(es) llega(n):

- Al llegar a la casa preguntan si no han llegado demasiado pronto.
- Elogian la casa.
- Entregan el regalo que han llevado.

Quien(es) recibe(n):

- Agradecen, hacen algún comentario sobre la casa y anuncian que la van a enseñar. También pueden enseñarla en ese momento.
- Agradecen el regalo y dicen que no era necesario.

- **Con otros invitados:**
  - Se saludan y hacen referencia al tiempo que hace que no se ven.
  - Se interesan por cómo les van las cosas.
  - Se pegunta por la familia.

- **En la mesa:**
  - Se ofrece más comida varias veces.
  - Se alaba la comida y para decir que no se quiere más hay que volver a decir que todo está muy bueno y se explica la razón por la que no se puede repetir.
  - Se ofrece compartir los regalos que han llevado los invitados.

3 Te toca.

a **Comenta con tus compañeros/as estas costumbres y compara con lo que suele hacerse en tu país.** 

b **En grupos, representad varias escenas como las que se han presentado.**

5. De todo un poco

1 Lee estas costumbres y comenta en clase qué opinas de ellas y si son habituales o no en tu país. ¿Puedes preguntar a tus amigos de habla hispana qué les parecen estas costumbres? 

LO QUE HACEN ALGUNOS ESPAÑOLES	COSTUMBRES	¿SE HACE EN TU PAÍS?
	Enseñar la casa cuando alguien nos visita por primera vez.	
	Dormir la siesta.	
	Dar detalles o explicar algo cuando alguien dice cosas agradables sobre lo que llevamos puesto o un objeto personal.	
	Abrir los regalos delante de la persona que nos los ha dado.	
	Llamar por teléfono por un asunto de trabajo y preguntar antes por la salud o la situación de la persona con la que hablamos.	
	Salir a desayunar a la cafetería a eso de las 11:00 de la mañana.	
	Mirar a los ojos de la persona con la que hablamos.	
	Llegar tarde a las citas informales.	

2 Escucha.

a **Antes de escuchar. Lee estos datos sobre los matrimonios civiles y religiosos en España durante los últimos años, y observa los cambios.**

Año	Matrimonios religiosos %	Matrimonios civiles %
1990	84,6	15,4
2000	73,5	26,5
2005	58,3	41,7
2008	49,6	51,4

b **Ahora lee estos datos sobre las parejas que viven juntas casadas y sin casarse. Observa los cambios producidos.**

Parejas que viven juntas	sin casarse	casadas
Menores de 25 años	60%	40%
Entre 25 y 34 años	40%	60%
A partir de 35 años	20%	80%

- Desde el 30 junio de 2005, España reconoce el matrimonio civil entre personas del mismo sexo.

Boda civil en el Salón de los Espejos (Ayuntamiento de Málaga)

c **La reportera de Onda Meridional ha salido a preguntar a varias personas sobre las bodas. Ha preguntado si prefieren celebrar una boda religiosa o civil, o simplemente vivir juntos. Estas han sido algunas respuestas.**

Ahora escucha. 41

d **Contesta a estas preguntas:**

1 ¿Cuántas personas de las que contestan están casadas?
2 ¿Cuántas viven en pareja sin casarse?

e **Vuelve a escuchar y contesta:** 41

1 ¿Cómo se casó Darío? ¿Por la iglesia o por lo civil?
2 ¿Qué día se casan Íñigo y su novia?
3 ¿Por qué se casó Arturo por la iglesia?
4 ¿Marisa quiere vivir con su novio?
5 ¿Por qué no quiere casarse Hortensia?

f **Lee las transcripciones y comprueba cuántas respuestas son correctas.**

g **Ahora, si quieres, expresa tu opinión sobre este asunto.**

3 Nos entendemos sin palabras. Los gestos.

a **Mira la foto del ejemplo y lee la explicación. Piensa si se hace ese gesto en tu país y, si no, explica cuál se usa para expresar lo mismo.**

Movemos la mano abierta de arriba abajo cuando queremos indicar 'mucha cantidad'.

Liliana dice en la foto: «*¡Cuánta gente había en la fiesta!*».

b **Y ahora, en parejas, escribid un comentario sobre cada una de estas fotos. Comparad con lo que han escrito los/las demás compañeros/as y explicad cuándo se usan estos gestos en vuestro país y qué significan.**

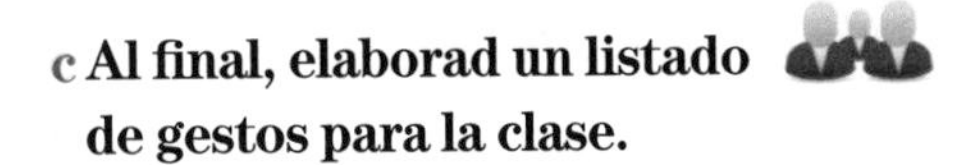

c **Al final, elaborad un listado de gestos para la clase.**

4 Escucha.

¿A qué dedican los españoles el tiempo libre en su casa?

a **Antes de escuchar.**

Escribe cuatro actividades que realizas en casa en tu tiempo libre.

b **Ahora, escucha esta información y contesta:**

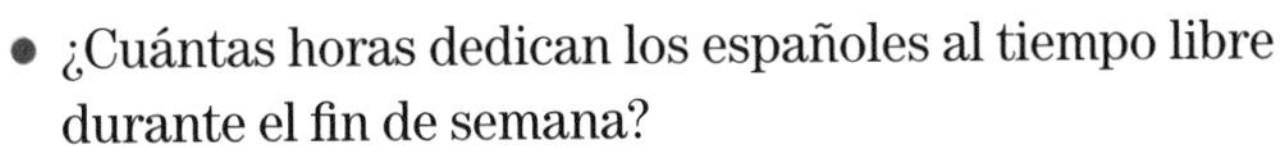

- ¿Cuántas horas dedican los españoles al tiempo libre durante el fin de semana?
- ¿Ven la tele más de cuatro horas durante el fin de semana?
- ¿Les gusta cocinar?
- ¿Se ocupan de su cuerpo?
- ¿Quiénes disfrutan de más tiempo libre en el hogar?

c **Lee la transcripción y comprueba si tus respuestas son correctas.**

d **Y ahora.**

Si estás en España, pregunta a españoles a qué dedican su tiempo libre fuera de casa. Pregunta a hombres, mujeres y jóvenes. Compara tus respuestas con las de tus compañeros/as.

Si estás en tu país pregunta a muchas personas qué hacen en su tiempo libre fuera y dentro de casa. Escribe un informe y compáralo con el de tus compañeros/as.

5 Lee.

a **Antes de leer.**

Enumera las costumbres españolas que conocías.
Enumera las que has aprendido en esta unidad.

b Lee el texto. 

Trabajo para clase: Costumbres españolas

Sigo con mi trabajo de clase. Estas son mis impresiones. Ahora, cuando termina mi viaje, me doy cuenta de que aprender una lengua no consiste solo en aprender ortografía, vocabulario, pronunciación, gramática… Y si esto es importante, también es fundamental conocer cómo son las personas que la hablan.

Durante el tiempo que he estudiado español he aprendido muchas cosas sobre las costumbres y el comportamiento social. En este momento recuerdo las siguientes:

- No debes pagar individualmente tu consumición en un bar si vas acompañado de españoles.
- Gran parte de la vida de los españoles transcurre en el bar. Allí van a tomar tapas o copas, a ver el fútbol o, incluso, a hacer negocios.
- Los jóvenes se reúnen para beber al aire libre por la noche, a esto se le llama «hacer botellón».
- Si vas a una casa, debes decir algo positivo y agradable de ella, pero los dueños siempre quitan importancia a esos comentarios.
- Cuando te invitan a comer o a cenar es conveniente llevar un regalo: unos bombones o una botella de vino.
- Llevar zapatos por la casa es algo normal. Dejarlos en la entrada, una falta de educación.
- Los españoles hablan muy alto, pero no tenemos que entenderlo como una prueba de enfado.
- A los españoles les encantan los juegos de azar: la lotería (el gordo de Navidad), la primitiva, las quinielas, la ONCE*, las tragaperras.
- Todo pasa más tarde: por ejemplo, comen sobre las dos o las tres, y cenan a las nueve o diez de la noche. Los bancos y las oficinas de organismos públicos cierran por la tarde.

Es verdad que tienen costumbres diferentes que me han sorprendido, pero también es cierto que he encontrado muchas cosas similares a mi cultura.

* *ONCE: Organización Nacional de Ciegos Españoles.*

c Durante la lectura. 

- Subraya las costumbres que no conocías.

d Después de leer. 

Contesta a estas preguntas:

1. ¿Qué costumbres aparecen en el texto relacionadas con los bares y la bebida?
2. ¿Qué debes hacer y qué no debes hacer cuando te invitan a comer o cenar a una casa?
3. ¿Qué dice el texto sobre los horarios?
4. Compara tus respuestas del principio con lo que has leído. ¿Hay muchas diferencias? ¿Puedes completar la lectura con más costumbres?

6 Escribe.

Vuelve al Pretexto de esta Unidad. Mira las fotos y los textos que las acompañan.

a. Si estás aprendiendo español en algún país hispanohablante, pon cuatro o cinco fotos favoritas de tu estancia y escribe tus impresiones debajo de ellas. Preséntalo bien porque el trabajo mejor escrito y mejor presentado gana el primer premio.

b. Si estás aprendiendo español en tu país haz fotos de tus compañeros/as y de tu profesor/a de español. Escribe el texto debajo con comentarios e impresiones. Ya sabes que tienes que hacerlo muy bien. Puedes ganar el primer premio.

Aquí están Claire, Megan, Eric, Casey, Allie, Fred y Ryan. Son mis amigos. La profesora, Catalina, decidió dar la clase de español al aire libre, en el patio del instituto. Cantamos canciones de Julieta Venegas, Maná y Shakira. Lo pasamos muy bien. El año próximo queremos viajar juntos a España.

Nos despedimos, pero seguiremos en contacto

9

1. Pretexto

- ● El curso se acabó.
- ▼ Sí, y quizá no nos veremos más.
- ■ Sí, hombre, yo sí iré a visitaros, así que, preparad una habitación de invitados.
- ▲ Y si no podemos viajar, podremos vernos por Internet. Tenéis *web cam* ¿no?
- ▼ Yo todavía no, pero me compraré una al volver a casa.
- ● Además, los *chats* son otra forma de encontrarnos. Podemos quedar un día a la semana para hablar todos juntos.
- ■ Buena idea, así seguiremos en contacto. Mirad, he hecho una lista para apuntarnos todos los correos. Pero ni así os libraréis de mí. Iré a visitaros de todas formas.
- ▲ Vale. Y seguiremos estudiando español, ¿verdad?
- ♠ ¡¡Por supuesto!!

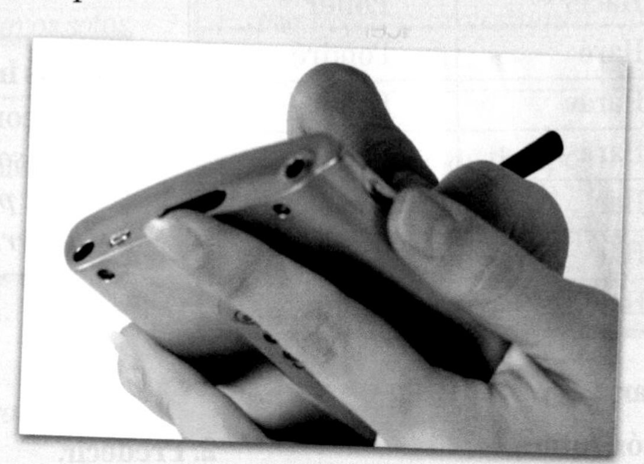

1 **Escucha y lee la conversación con tus compañeros/as. Después, contesta:** 43

- Al terminar el curso, ¿estos chicos y chicas están contentos o tristes?, ¿por qué?
- ¿Qué propone cada uno para el futuro?
- ¿Cómo seguirán en contacto?

2 **Ahora reflexiona.**

- ¿Qué formas verbales se refieren al futuro?
- Una es nueva, ¿puedes subrayarla? La vas a estudiar en esta unidad.

7 Escribe.

Quieres ir a España o a otro país donde se habla español, pero ¡claro!, necesitas trabajar. Has visto un anuncio que te interesa y vas a mandar tu CV (Currículum Vítae). O como se dice en otros lugares del mundo hispano, Hoja de Vida. Rellena este modelo con tus datos.

DATOS PERSONALES

Nombre y Apellidos:
Dirección:
Localidad:
C.P.:
Teléfono:
Fecha y lugar de nacimiento:
Edad:

FORMACIÓN Y ESTUDIOS

Titulación:
Idiomas:
Conocimientos informáticos:
Cursos y seminarios:

EXPERIENCIA PROFESIONAL

Empresa:
Fecha:
Puesto/Actividad desarrollada:

Empresa:
Fecha:
Puesto/Actividad desarrollada:

Empresa:
Fecha:
Puesto/Actividad desarrollada:

DATOS COMPLEMENTARIOS

(Carnet de conducir, vehículo propio, disponibilidad geográfica)

Repaso

Unidades 7, 8 y 9

1 **Interactúa. Regreso del futuro.**

1. Dividir la clase en equipos.
2. Cada equipo viajará al futuro y volverá para contar lo que ha visto. Hay que apuntarlo en el cuaderno.
3. Al volver, cada equipo explicará a la clase cómo será ese futuro que «ha visto».

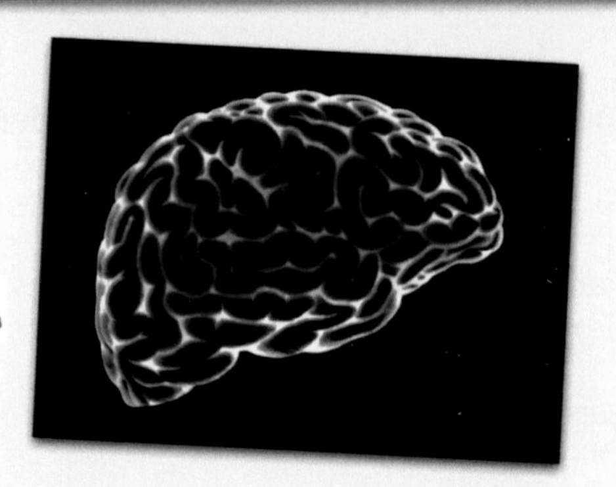

GRUPO A	GRUPO B
En el futuro que hemos visto los seres humanos tendrán dos cerebros.	

2 **Escucha.**

a Antes de escuchar lee este texto. 

Detalle del cuadro «*La cosecha*» de Brueghel el Viejo.

Los españoles y la siesta

El 24% de los españoles duerme la siesta; el 56% lo hace únicamente de vez en cuando. Además, un 10% de los españoles afirma que no puede dormir la siesta porque no tiene tiempo o porque trabaja fuera de casa. Y es que nadie duda de que la siesta es buena para la salud y el rendimiento en el trabajo o en los estudios.

b La reportera de Onda Meridional ha salido a preguntar a varias personas si duermen la siesta. 48

Después de escuchar contesta si es verdadero o falso

1 El primero no puede dormir la siesta en silencio.	V	F
2 Para el chico, la siesta es necesaria en épocas de muchas horas de estudio.	V	F
3 La señora duerme la siesta en el sofá los domingos.	V	F
4 La siesta no es una buena costumbre española.	V	F

c Y ahora expresa tu opinión sobre la siesta y compárala con las de tus compañeros/as.

3 Interactúa.

¿Aventurero/a o turista?

Si te dan a elegir ¿qué prefieres? Comenta con tus compañeros/as.

- Un viaje a Roma
- Un viaje organizado
- Un hotel de cinco estrellas
- Visitar monumentos
- Comer en buenos restaurantes
- Llevar una maleta con ruedas
- Saber lo que vas a visitar
- Hacer compras
- Tener billete de ida y vuelta
- Hacer fotos de todo

- Un viaje a Tanzania
- Un viaje por tu cuenta
- Una cabaña en el desierto
- Hacer un safari
- Comer con los habitantes de una tribu
- Llevar una mochila
- Lanzarte a la aventura
- No saber cuándo vas a volver
- Hacer cosas que no están preparadas
- Disfrutar del sol, de la luna, de la brisa

Las respuestas de la primera columna describen al turista; las de la segunda columna describen al aventurero.

Tanto si eres un/a aventurero/a como si eres un/a turista, lo importante es viajar por el mundo con libertad; descubrir sitios y personas nuevas, y disfrutar de todo el tiempo que dedicas a viajar.

4 Escucha.

Vas a escuchar nueve diálogos de las diferentes situaciones que has estudiado en las 9 Unidades.

Escribe el número del diálogo debajo de la fotografía a la que corresponde.

___

___

___

___

___

___

___

___

___

5 Lee y contesta.

EL NIVEL A2

Has terminado el nivel A2. Creemos que, cuando hablamos sobre temas de interés personal (información personal y familiar, las compras, la casa, la ciudad el pueblo, el trabajo) puedes comprendernos. Y también sabemos que eres capaz de captar la idea principal de avisos y mensajes breves y claros.

Has aprendido a leer textos cortos sin demasiada dificultad. Y sabes encontrar información específica en anuncios publicitarios, prospectos, menús y horarios.
Además, comprendes los correos electrónicos y las cartas personales que no son excesivamente largas.

Sabemos que todavía tienes problemas para mantener la conversación por ti mismo. Pero eso es normal.

Pero ya sabes describir de forma sencilla a tu familia y a otras personas, tu modo de vida, los estudios que has hecho y los que piensas hacer, tu trabajo actual o el último que tuviste o el que quieres tener en el futuro. También sabes contar cosas que han ocurrido y ya puedes hablar sobre las etapas pasadas de tu vida.

Sabes escribir postales para hablar de tus viajes, de tu vida. Has aprendido a escribir correos electrónicos y a completar formularios con tus datos. Y puedes escribir notas y mensajes y cartas personales básicas.

Esto quiere decir que ya has aprendido mucho, pero también sabemos que vas a aprender mucho más. *¡Enhorabuena!*

** Adaptación del «Cuadro 2. Niveles comunes de referencia: cuadro de autoevaluación A2».*

Para ver unas imágenes, entre en: http://www.youtube.com/watch?v=ATo0JjXg0AE&hl=es.

Otro lugar único es el Salar de Uyuni, el mayor desierto de sal del mundo con 12 000 km², que está a 3 650 metros de altura en el Departamento de Potosí. Puede descubrirlo en: http://www.youtube.com/watch?v=w7Bap1-TNss.

En cuanto a su población, encontramos grupos étnicos de origen amerindio como los quechuas y aimaras, pero también guaraníes, mojeños o chiquitanos, entre otros. Solo el 15% de la población es europeo, sobre todo de origen español.

Esto significa que la diversidad, tanto humana como paisajística, es lo habitual en Bolivia.

Y si hablamos de música, conocida comúnmente como «música andina», encontraremos en ella ritmos e instrumentos que usaron las culturas indígenas. ¿Quién no conoce, por ejemplo, la canción *El cóndor pasa*? Para unos es un huayno peruano, para otros es boliviano. En cualquier caso, es una hermosa melodía. Para oírla, entre en: http://www.youtube.com/watch?v=vG5G7_CMOls.

En cuanto a los instrumentos, debemos recordar el charango, usado en toda América Latina, pero originario de Bolivia. Se puede oír en: http://www.charangobolivia.org/charangueando/ y pinchando Alfredo Coca (3) o René Gamboa (1).

El otro instrumento es la quena, especie de flauta típica de toda la cordillera andina. Para escucharla, entre en: http://www.youtube.com/watch?v=qHX21qE9O_o&hl=es y disfrute. Nosotras ya lo hemos hecho.

B EL SALVADOR

Desde los volcanes a la artesanía

Este pequeño país, situado entre el océano Pacífico, Honduras y Guatemala, es conocido como el país de los 40 minutos porque, desde la capital, se tarda ese tiempo en llegar a cualquier lugar turístico. Y hay mucho que visitar en El Salvador; cuenta con más de 2 000 lugares arqueológicos de interés, entre ellos destacamos: Las Pirámides de San Andrés, Joya de Cerén, Cihuatán, Quelepa, Tazumal y Tehuacán. Muy en relación con la historia precolombina, a la que recuerdan estas ciudades, están sus múltiples volcanes. Precisamente la erupción del volcán Ilopango obliga a la población agrícola a marcharse de San Andrés. Esta zona vuelve a ocuparse en el siglo V.

Nombre oficial	República de El Salvador
Bandera	
Superficie	20 742 km²
Población	6 822 378 (2006)
Idiomas	El español o castellano
Moneda	Dólar estadounidense (USD)
Capital	San Salvador
Principales ciudades	La Libertad, Ahuachapan, Cabañas, Chalatenango, Cuscatlán, La Unión

Hoy en día la ruta de los volcanes es algo que recomendamos a quienes quieran pasearse por esta región del mundo. Para ello hay que ir al Parque Nacional de los Volcanes, donde podrán ver el volcán de Izalco, el de Santa Ana y el de Cerro Verde. Si quiere empezar a disfrutar ya, vea estas fotos entrando en: http://www.elsalvador.travel/ y pinchando después en la barra superior en «Destinos y Volcanes».

Algunos de los nombres de las ciudades salvadoreñas nos recuerdan su origen maya; pero también ocuparon la región los lencas, los chorotegas y los pipiles entre otros pueblos. Su influencia se percibe en la artesanía actual. En ella los salvadoreños han encontrado una fuente de recursos para levantar su economía. En este sentido se ha creado el llamado Tour artesanal de Nixapa, considerado la «sonrisa del país». Por ejemplo, si vamos a Nahizalco, encontraremos objetos hechos de mimbre, tule, madera y algodón. Allí existe un mercado nocturno, iluminado por velas que vale la pena recorrer. En Ataco, donde vivieron los pipiles, encontramos las más famosas tiendas de artesanías y telares de pedal. A 6 km de allí, podremos visitar Apaneca, la ciudad más alta de El Salvador. Su nombre en

lengua náhuatl significa 'río de vientos'. Además, en Apaneca podremos tomar uno de los mejores y más premiados cafés del mundo. La razón de esa calidad es la altura a la que se cultiva. En la zona oriental del país, encontramos otro tipo de artesanía, realizada fundamentalmente por mujeres indígenas en el pueblo de Guatajiagua. Los colores rojo y negro predominan en las piezas de alfarería hechas con materias primas de la región. Pero si quiere comprar una hamaca, vaya a San Sebastián, en el centro del país.
Todo esto y más puede encontrarlo en esta dirección: http://www.nixapa.com.sv/#.

Guatemala y Costa Rica

A GUATEMALA

Entre bosques y volcanes

El nombre de Guatemala deriva de una palabra maya que significa «tierra de árboles», debido a los bosques que hay en gran parte de su territorio.
Guatemala está bañada por el Mar Caribe y el Océano Pacífico. Hay 27 volcanes activos; se la llama tierra de volcanes y terremotos. El volcán más alto de Guatemala es el Tajumulco de 4 220 metros de altitud.
En la parte más alta de este país está el lago Atitlán, situado al lado de los volcanes Atitlán, Tolimán y San Pedro.

En Guatemala existe un conjunto arqueológico formado por las ruinas de Tikal, que fue uno de los centros más importantes del primer imperio maya (320 a 987 d. C.).

Tikal está al norte de Guatemala, cerca de la frontera con Belice. Allí se encuentra el templo del Jaguar Gigante. Para algunos arqueólogos, este es el templo más hermoso e impactante de la civilización maya.
Si quiere verlo, entre en: http://www.bugbog.com/ o en: http://www.travelblog.org/.

La cultura de los pueblos mayas marca la identidad del país, sus colores, sus sabores, sus festivales culturales, su música. Guatemala es un gran tapiz de colores tejido por los sueños de una mujer maya.
Pero Guatemala es mucho más que el país de la eterna primavera o la cuna de la civilización maya. Es un destino perfecto para vivir aventuras que desafían a la naturaleza. Sus volcanes, ríos, lagos y cavernas son el escenario para hacer del turista el personaje central de las aventuras más emocionantes.
Si quiere saber más: http://www.xplorandoguatemala.com/.

Nombre oficial	República del Guatemala
Bandera	
Superficie	108 889 km²
Población	13 002 206 (2008)
Idiomas	El español o castellano y veintiuna lenguas mayas
Moneda	Quetzal (GTQ)
Capital	Ciudad de Guatemala
Principales ciudades	Quetzaltenango, Escuintla, Puerto Barrios Mazatenango, Antigua

B COSTA RICA

De las orquídeas a los volcanes

Hasta 1857 aproximadamente, el adjetivo para designar a los habitantes de Costa Rica era «costarrica», («costarricas» en plural), pero cuando los combatientes de los países aliados de Costa Rica notaron que terminaban muchas palabras en tico/a/os/as, los llamaron «los ticos». Actualmente el nombre oficial de los habitantes de Costa Rica es costarricenses.

Costa Rica, una de las democracias más consolidadas de América, fue el primer país del mundo en eliminar el ejército el 1 de diciembre de 1948.
Su índice de desarrollo es uno de los mejores de Latinoamérica y lo coloca en cuarta posición detrás de Argentina, Chile y Uruguay.

El nombre de este país nos anuncia lo que vamos a encontrarnos si decidimos visitarlo. Rica es la piña, uno de los productos más importantes de su economía. Rica por su sabor y por las vitaminas, fibra y minerales que contiene. Y sobre todo porque de su cultivo dependen unas 23 000 personas y otras 92 000 se benefician directamente de su producción. Precisamente la Ministra de Salud, María Luisa Ávila, anunció en 2008 que el sector dedicado a la piña iba a ser uno de los más avanzados.

Rica asimismo es la variedad de orquídeas que se cultiva en este país, que parece un gran invernadero pensado para ellas. De las 1 360 especies de orquídeas que hay en el mundo, 386 se encuentran en Costa Rica.

Estas flores pueden verse por todas partes pues los ticos las adoran. La flor nacional es la Guaria Morada (Cattleya Skinneri). Si le interesan las orquídeas, puede entrar en: http://dota-orchids.50megs.com/html/orquideas_de_costa_rica.html.

Rica igualmente es la variedad de parques nacionales y áreas protegidas que existen por todo el país. Costa Rica fue uno de los pioneros en ecoturismo y es reconocido como uno de los pocos destinos internacionales con verdaderas opciones de turismo ecológico. Y ¿qué decir de sus once volcanes? Solo daremos un detalle: el volcán Poás, ubicado en el Parque Nacional del mismo nombre, posee el cráter más grande del mundo, es un lago de casi 2 km de diámetro y 300 metros de profundidad, que es el más extenso calentador del planeta.

Nombre oficial	República de Costa Rica
Bandera	
Superficie	51 100 km^2
Población	4 195 914
Idiomas	El español o castellano
Moneda	Colón costarricense (CRC)
Capital	San José
Principales ciudades	Cartago, Limón, Alajuela

Si quiere saber más, entre en: www.travelexcellence.com/ecotourism2.htm.

Ecuador y Cuba

A EL ECUADOR

El Testamento del Viejo

Al hablar de este país es inevitable preguntarnos por su nombre. Lo toma de la zona en la que está situado. La línea equinoccial o ecuador atraviesa el país al norte de Quito. Otra cosa que nos viene a la mente al pensar en este país son las Islas Galápagos, Patrimonio Natural de la Humanidad. Están frente a las costas ecuatorianas y fueron el lugar donde Charles Darwin se inspiró para establecer la Teoría de la Evolución de las especies a través de la selección natural. Entre aquí para ver y oír más: http://www.youtube.com/watch?v=BzSH-BC8_mc&hl=es.

En una hipotética visita al Ecuador podremos pasar de la selva tropical a la Cordillera de los Andes, sin olvidar el volcán Chimborazo.

Si además hacemos coincidir nuestro viaje con los últimos días de diciembre, podemos asistir a la celebración del Año Viejo, que tiene tres partes: la Elaboración del Viejo, el Testamento del Año Viejo y la

Nombre oficial	República del Ecuador
Bandera	
Superficie	275 830 km^2
Población	13 805 095 (2009)
Idiomas	El español o castellano. El quechua, el shuar y los demás idiomas ancestrales son de uso oficial para los pueblos indígenas, en los términos que fija la ley
Moneda	Dólar estadounidense (El Sucre dejó de ser moneda oficial en el 2000, después de 116 años de vigencia)
Capital	Quito
Principales ciudades	Guayaquil, Cuenca, Machala, Portoviejo, Riobamba

quema del mismo. El Viejo se elabora recogiendo ropa vieja, papel y serrín para rellenar el muñeco que representará al año que se va. Este muñeco puede hacer referencia a personajes nacionales o internacionales considerados importantes. Después, se elabora el Testamento del Viejo, es decir, del año que está a punto de terminar. Este Testamento es una composición popular en verso que incluye comentarios y críticas de los acontecimientos principales del año.

El 31 de diciembre a las 12 de la noche se leen los Testamentos de los diferentes barrios. Al mismo tiempo se encienden cohetes y, a continuación, se quema al Viejo.
Mire estas imágenes:
http://blogs.20minutos.es/latino/post/2008/12/30/el-aaao-viejo-o-noche-vieja.

B CUBA

¿La mejor escuela de cine del mundo?
«Otro tipo de cine es posible porque es necesaria la visibilidad de nuestros países. Un país sin imagen es un país que no existe. Todo lo que hacemos, todo lo que queremos hacer, es tener derecho a ser los protagonistas de nuestra propia imagen» Julio García Espinosa.

Nombre oficial	República de Cuba
Bandera	
Superficie	110 862 km^2
Población	11 382 820
Idiomas	El español o castellano
Moneda	Peso cubano (CUP)
Capital	La Habana
Principales ciudades	Santiago de Cuba, Camagüey, Santa Clara Bayazo, Cienfuegos, Matanzas

La Escuela Internacional de Cine y Televisión (EICTV) (San Antonio de los Baños, La Habana, Cuba), conocida como la Escuela de Todos los Mundos, está considerada como una de las instituciones más importantes de su género y, para algunos, la mejor.

¿Cómo nace la Escuela?
La EICTV es el proyecto académico más importante de la Fundación del Nuevo Cine Latinoamericano (FNCL).

Esta institución, con sede en Cuba, nace en el mes de diciembre de 1985 y la preside, casi desde el principio, el escritor colombiano Gabriel García Márquez.

Su primer director fue Fernando Birri, importante realizador argentino, precursor del movimiento del Nuevo Cine Latinoamericano. Concebida como una escuela de formación artística, la EICTV pone en práctica una filosofía particular: la de enseñar no por medio de maestros profesionales, sino con cineastas activos, capaces de transmitir conocimientos apoyados por la práctica, la experiencia en directo y por una constante actualización. Como dicen desde San Antonio de los Baños: «lo que se pretende es conseguir profesionales capacitados, amorosos y rebeldes, de pensamiento apasionado, capaces de llevar sus ideas al cine».

Actualmente dirige la Escuela la dominicana Tanya Valette.

En 1993 el Festival de Cannes otorgó a esta escuela, que ha formado a estudiantes de más de cincuenta nacionalidades, el Premio Roberto Rossellini por su espíritu humanista e integrador.

Si quiere saber más, puede consultar:
http://www.eictv.org/view/index.jsf.

http://www.canaldocumental.tv/index.php?option=com_content&task=view&id=660&Itemid=2.

Tarea 4.

Observa la oferta de casas. Completa las oraciones que aparecen a continuación con la información del texto.

Casas de madera Los Cerros, Albacete
El Alojamiento Rural «Los Cerros» está compuesto por 4 casas de madera, situadas en el corazón del Parque Natural de los Calares del Mundo y de la Sima. Plañel está rodeado de ricos campos de árboles frutales y todo ello dentro de un valle lleno de pinos y de hermosas flores y olores increíbles.

Casas de madera Las Piedras, La Utrera
Diez casas de montaña, con salón comedor, calefacción, chimenea, cuarto de baño, cocina equipada y dos habitaciones construidas en madera y piedra. Una casa de madera con 4 habitaciones, baño completo en cada habitación. Barbacoa y piscina. Admite mascotas y pago con tarjeta. Deportes: esquí, pesca, rafting, senderismo.

Casas de madera Los Caballos, Guadalajara
Todos nuestros alojamientos están completamente equipados, disponemos de todas las comodidades: salón comedor, aire acondicionado, calefacción, TV, cocina completa, baño completo con ducha, mínimo dos personas, máximo 12. Usted se sentirá como en su casa. Cuando llegamos a Ossa de Montiel, tomamos la carretera que lleva a San Pedro, y, pasados dos kilómetros llegamos a las Casas de madera Los Caballos.

Casas de madera Los Sauces, están situadas en el centro del Parque Natural de Cazorla, Segura y las Villas, dentro de la aldea de Arroyo Frío. En esta sierra, podrán contemplar gran variedad de animales y árboles. Aquí lo organizamos todo para realizar diferentes actividades: excursiones a pie, en 4x4, en mountain bike o a caballo.

Casas de madera Las Encinas, Albacete
Las Lagunas de Ruidera son un conjunto natural de 15 lagunas con un recorrido de unos 30 kilómetros. El agua forma ríos y cascadas. Hay una gran variedad de flores, árboles y plantas y, sobre todo, aves acuáticas. El lugar ideal para los amantes de la naturaleza. Catorce casas perfectamente equipadas. Capacidad para 4-10 personas.

- Plañel está en un ____________ **(18)** lleno de árboles y flores.
- Las casas de madera ____________ **(19)** están a dos kilómetros de San Pedro, cerca de Ossa de Montiel.
- Las casas de madera "Las Encinas" están muy cerca de ____________ **(20)** que forman ríos y cascadas.
- En las casas de "Las Encinas" caben hasta ____________ **(21)** personas.
- En las casa de madera "Las Piedras", las casas tienen como mínimo 2 ____________ **(22)**. Los cuartos están hechos de ____________ **(23)** y de madera.
- La casas de "Los Sauces" están situadas en una ____________ **(24)**. Organizan excursiones a pie, a caballo o en ____________ **(25)**.

Apéndice gramatical

Apócope del adjetivo.

Sustantivos masculinos y femeninos irregulares.

Los sustantivos que terminan en ***-o*** son masculinos.
Excepción: *la mano, la modelo, la soprano.*

Los sustantivos que terminan en ***-or*** son masculinos.
Excepción: *la flor.*

Los sustantivos que terminan en ***-a*** son femeninos.
Excepciones: *el mapa, el pijama, el sofá, el día, el clima, el idioma, el problema, el tema, el programa,* etc.

Los sustantivos que terminan en ***-zón*** son femeninos.
Excepción: *el corazón.*

Demostrativos.

Este	Ese	Aquel
Esta	Esa	Aquella
Estos	Esos	Aquellos
Estas	Esas	Aquellas

Adverbios relacionados.

AQUÍ	AHÍ	ALLÍ

Posesivos.

Masculino singular	Femenino singular	Masculino plural	Femenino plural
mío	mía	míos	mías
tuyo	tuya	tuyos	tuyas
suyo	suya	suyos	suyas
nuestro	nuestra	nuestros	nuestras
vuestro	vuestra	vuestros	vuestras
suyo	suya	suyos	suyas

Mucho y Muy.

Mucho/a/os/as + sustantivo
Verbo + **mucho**
Muy + adjetivo
Muy + adverbio

Indefinidos.

algún / alguna algunos/as alguien algo todo/a/os/as	ningún / ninguna nadie nada todos/as	mucho/a muchos/as poco/a pocos/as	**Algo de** + nombre incontable **Nada de** + nombre incontable

Poco y *mucho* son adverbios de cantidad.

Comparativos.

- Más bueno = **MEJOR**
- Más malo = **PEOR**

Más grande, de más edad = **MAYOR**
Más pequeño, de menos edad = **MENOR**

Números.

3000 tres mil
3001 tres mil uno
3022 tres mil veintidós
3543 tres mil quinientos cuarenta y tres
4000 cuatro mil
5000 cinco mil
6000 seis mil
7000 siete mil
8000 ocho mil
100 000 cien mil
100 007 cien mil siete
200 034 doscientos mil treinta y cuatro
300 478 trescientos mil cuatrocientos setenta y ocho
406 982 cuatrocientos seis mil novecientos ochenta y dos
642 182 seiscientos cuarenta y dos mil ciento ochenta y dos
1 000 000 un millón
1 890 515 un millón ochocientos noventa mil quinientos quince
2 000 000 dos millones

Pronombre de O. indirecto + presente del verbo *gustar*.

Me Te Le Nos Os Les	+ *gusta*	+ una cosa + infinitivo + una persona etc.
Me Te Le Nos Os Les	+ *gust**an***	+ varias cosas + varias personas etc.

Colocación de los pronombres.

Los pronombres se colocan:
1. Delante del verbo conjugado.
2. Detrás del infinitivo o del gerundio.
3. Detrás del imperativo afirmativo

Verbos reflexivos.

	LAVAR-SE	
yo	**me**	lav**o**
tú	**te**	lava**s**
él / ella / usted	**se**	lav**a**
nosotros / nosotras	**nos**	lav**amos**
vosotros / vosotras	**os**	lav**áis**
ellos / ellas / ustedes	**se**	lav**an**

Pretérito perfecto.

yo	he	-ar	-ado	compr**ado**
tú	has			
él / ella / usted	ha + PARTICIPIO:	-er	-ido	com**ido**
nosotros / nosotras	hemos			
vosotros / vosotras	habéis	-ir	-ido	viv**ido**
ellos / ellas / ustedes	han			

Participios irregulares.

Hacer	**hecho**	Decir	**dicho**
Poner	**puesto**	Volver	**vuelto**
Escribir	**escrito**	Ver	**visto**
Abrir	**abierto**	Descubrir	**descubierto**
Romper	**roto**	Poner	**puesto**
Morir	**muerto**		

Pretérito imperfecto.

A. Formas regulares.

	verbos en -ar	verbos en -er	verbos en -ir
	ESTUDI-AR	COM-ER	VIV-IR
yo	estudi-**aba**	com-**ía**	viv -**ía**
tú	estudi-**abas**	com-**ías**	viv-**ías**
él / ella / usted	estudi-**aba**	com-**ía**	viv-**ía**
nosotros / nosotras	estudi-**ábamos**	com-**íamos**	viv-**íamos**
vosotros / vosotras	estudi-**abais**	com-**íais**	viv-**íais**
ellos / ellas / ustedes	estudi-**aban**	com-**ían**	viv-**ían**

B. Formas irregulares.

	IR	SER	VER
yo	iba	era	veía
tú	ibas	eras	veías
él / ella / usted	iba	era	veía
nosotros / nosotras	íbamos	éramos	veíamos
vosotros / vosotras	ibais	erais	veíais
ellos / ellas / ustedes	iban	eran	veían

Pretérito indefinido.

A. Formas regulares.

	verbos en -ar	verbos en -er	verbos en -ir
	ESTUDIAR	COMER	VIVIR
yo	estudi-**é**	com-**í**	viv-**í**
tú	estudi-**aste**	com-**iste**	viv-**iste**
él / ella / usted	estudi-**ó**	com-**ió**	viv-**ió**
nosotros / nosotras	estudi-**amos**	com-**imos**	viv-**imos**
vosotros / vosotras	estudi-**asteis**	com-**isteis**	viv-**isteis**
ellos / ellas / ustedes	estudi-**aron**	com-**ieron**	viv-**ieron**

B. Formas irregulares.

	DAR	SER e IR	DORMIR	MORIR
yo	di	fui	dormí	morí
tú	diste	fuiste	dormiste	moriste
él / ella / usted	dio	fue	durmió	murió
nosotros / nosotras	dimos	fuimos	dormimos	morimos
vosotros / vosotras	disteis	fuisteis	dormisteis	moristeis
ellos / ellas / ustedes	dieron	fueron	durmieron	murieron

	ESTAR	ANDAR	TENER	TRAER
yo	estuve	anduve	tuve	traje
tú	estuviste	anduviste	tuviste	trajiste
él / ella / usted	estuvo	anduvo	tuvo	trajo
nosotros / nosotras	estuvimos	anduvimos	tuvimos	trajimos
vosotros / vosotras	estuvisteis	anduvisteis	tuvisteis	trajisteis
ellos / ellas / ustedes	estuvieron	anduvieron	tuvieron	trajeron

Se conjugan igual: *conducir, traducir.*

	DECIR	QUERER	PONER	SABER
yo	dije	quise	puse	supe
tú	dijiste	quisiste	pusiste	supiste
él / ella / usted	dijo	quiso	puso	supo
nosotros / nosotras	dijimos	quisimos	pusimos	supimos
vosotros / vosotras	dijisteis	quisisteis	pusisteis	supisteis
ellos / ellas / ustedes	dijeron	quisieron	pusieron	supieron

	PEDIR		LEER	
yo	pedí	OTROS VERBOS: *servir, seguir, conseguir, reírse, sonreír, vestirse, divertirse, repetir.*	leí	OTROS VERBOS: *oír, creer, leer, construir, destruir, caer(se).*
tú	pediste		leíste	
él / ella / usted	pidió		leyó	
nosotros / nosotras	pedimos		leímos	
vosotros / vosotras	pedisteis		leísteis	
ellos / ellas / ustedes	pidieron		leyeron	

Futuro.

A. Formas regulares.

	verbos en -ar	verbos en -er	verbos en -ir
	HABLAR	COMER	SUBIR
yo	hablar-**é**	comer-**é**	subir-**é**
tú	hablar-**ás**	comer-**ás**	subir-**ás**
él / ella / usted	hablar-**á**	comer-**á**	subir-**á**
nosotros / nosotras	hablar-**emos**	comer-**emos**	subir-**emos**
vosotros / vosotras	hablar-**éis**	comer-**éis**	subir-**éis**
ellos / ellas / ustedes	hablar-**án**	comer-**án**	subir-**án**

B. Formas irregulares.

	QUERER	HACER	PONER
yo	querré	haré	pondré
tú	querrás	harás	pondrás
él / ella / usted	querrá	hará	pondrá
nosotros / nosotras	querremos	haremos	pondremos
vosotros / vosotras	querréis	haréis	pondréis
ellos / ellas / ustedes	querrán	harán	pondrán
	Se conjugan igual: *saber, caber, poder y haber.*	**Se conjuga igual:** *decir.*	**Se conjugan igual:** *tener, valer, salir y venir.*

Imperativo.

A. Formas regulares.

	verbos en -ar	verbos en -er	verbos en -ir
	HABLAR	COMER	SUBIR
tú	habl-**a**	com-**e**	viv-**e**
usted	habl-**e**	com-**a**	viv-**a**
vosotros / vosotras	habl-**ad**	com-**ed**	viv-**id**
ustedes	habl-**en**	com-**an**	viv-**an**

B. Formas irregulares.

	DECIR	HACER	IR	PONER	SALIR	SER	TENER	VENIR
tú	di	haz	ve	pon	sal	sé	ten	ven
usted	diga	haga	vaya	ponga	salga	sea	tenga	venga
vosotros / vosotras	decid	haced	id	poned	salid	sed	tened	venid
ustedes	digan	hagan	vayan	pongan	salgan	sean	tengan	vengan

dedicarse (U4)
el dedo (U6)
dejar de + infinitivo (U2)
dentro de (U2)
el derecho (U6)
desaparecer (U4)
descolgar (U3)
desconocido / desconocida (U7)
la descripción (U1)
desde que (U8)
el desierto (U4)
el detalle (U8)
diario / diaria (U3)
la dieta (U2)
discutir (U2)
diseñar (U4)
disfrutar (U8)
divertido / divertida (U1)
doble / habitación doble (U7)
doler (U6)
el dolor (U6)
la donación (U6)
la ducha (U6)
durar (U3)
ecologista (U1)
el edredón (U6)
la educación (U8)
educado / educada (U1)
embarcar (U8)
embarque (U8)
empezar a + infinitivo (U2)
la empresa (U4)
encargarse (U9)
encontrar (U5)
enfado (U8)
enhorabuena (U1)
la ensalada (U4)
la ensaladilla (U2)
enseguida (U2)
el entrecot (U4)
entrenar (U6)
la época (U3)
el equipo (U3)
el equipo de música (U6)
equivocado / equivocada (U2)
es que (U2)
el escalón (U4)
el esfuerzo (U6)
el eslogan (U4)
la espalda (U6)
el estado (U1)
la estantería (U6)
estar + gerundio (U2)
estimado / estimada (U3)
el estómago (U6)
estupendo / estupenda (U3)
el examen (U5)
el exceso (U8)
la excursión (U3)
el exiliado / la exiliada (U5)
el éxito (U4)
experimentado / experimentada (U3)
la explicación (U7)
explicar (U7)
la extensión (U4)
la fama (U4)
la farmacia (U6)
la fecha (U1)
fenomenal (U3)
la fiebre (U6)
la fiesta (U9)
el filete (U5)
el flan (U4)
el florero (U6)
el folleto (U7)
formarse (U5)
el formulario (U3)
el foro (U9)
frecuencia / con frecuencia (U3)
el fregadero (U6)
el frigorífico (U6)
el gallego (U4)
generoso / generosa (U1)
el gesto (U8)
la gimnasia (U6)
el golfo (U4)
el gramo (U5)
la grasa (U2)
gratuito / gratuita (U6)
grave (U6)
el guaraní (U4)
el guión (U9)
hace + tiempo (U4)
la hamaca (U9)
harto / harta (U1)
el hogar (U8)
el hombro (U6)
humor / buen / mal humor (U1)
idea / ni idea (U2)
imaginar (U6)
el imperio (U5)
la impresión (U8)
el inca (U5)
increíble (U3)
el indígena (U4)
individual / habitación individual (U7)
el inodoro (U6)
la inscripción (U3)
insólito / insólita (U9)
intelectual (U1)
inteligente (U1)
interpretar (U4)
introvertido / introvertida (U1)
la isla (U4)
el jersey (U1)
el kilo (U5)
el kiwi (U5)
el lago (U4)
la lámpara (U6)
la lana (U1)
la lástima (U1)
la lata (U5)
el lavabo (U6)
la lavadora (U6)
el lavavajillas (U6)
la lección (U5)
legalizar (U5)
el lenguado (U4)
leve (U6)
librarse (U9)
el libro (U7)
la liga (U6)
el litro (U5)
llevarse bien / mal (U3)
localizar (U1)
la longitud (U4)
machista (U7)
la madera (U1)
el maíz (U5)
mal (U1)
maleducado / maleducada (U1)
mandar (U5)
el mango (U5)
el mantel (U2)
el mapa (U4)
maravilloso / maravillosa (U1)
la marca (U7)
marcharse (U4)
el marisco (U4)
la mascota (U4)
el material (U1)
materno / materna (U3)
el maya (U4)
el medicamento (U6)
el melocotón (U5)
el mensaje (U3)

la mente (U6)
la merluza (U4)
la mesa (U6)
el metal (U1)
millón (U4)
el minibar (U7)
mío / mía (U4)
el mirador (U4)
el monitor (U8)
la nacionalidad (U1)
nada / de eso nada (U2)
la nariz (U6)
la natillas (U4)
la naturaleza (U4)
Navidad (U8)
la necesidad (U3)
nervioso / nerviosa (U1)
ningún (U1)
la Nochebuena (U8)
la Nochevieja (U8)
nuestro / nuestra (U4)
ocupar (U8)
el ojo (U6)
olvidar (U8)
el ombligo (U6)
optimista (U1)
el ordenador (U6)
la oreja (U6)
organizar (U4)
el órgano (U6)
el origen (U1)
el oro (U1)
la paisaje (U4)
el palacio (U4)
el pañuelo (U6)
el paquete (U5)
paro / en paro (U1)
la pastilla (U6)
la patata (U5)
el pecho (U6)
la pechuga (U5)
peligroso / peligrosa (U9)
la pena (U1)
la península (U4)
la pensión / media pensión (U4)
la pensión completa (U4)
el pepino (U5)
el perfil (U1)
el periódico (U7)
el periodo (U5)
la personalidad (U9)
personalizado / personalizada (U3)
pesimista (U1)
la petición (U7)
el pico (U4)
la piel (U1)
la pierna (U6)
el pimiento (U5)
el pincho (U2)
el plástico (U1)
la plata (U1)
el plato (U2)
poco a poco (U2)
el político / la política (U4)
el pollo (U4)
poner (U5)
por eso (U8)
la porción (U2)
el portátil (U8)
la posesión (U1)
positivo / positiva (U8)
el postre (U4)
previo / previa (U3)
primer (U1)
el primero (= primer plato) (U4)
probar (U3)
probarse (U3)
el producto (U4)
la profesión (U1)
profesional (U3)
prohibir (U7)
la provincia (U4)
la publicidad (U7)
publicitario / publicitaria (U4)
público / en público (U3)
la puerta (U1)
qué tal (U3)
el quechua (U4)
quedarse (U2)
querido / querida (U3)
quitar (U4)
la ración (U2)
el radiador (U9)
la radio (U7)
la radiografía (U6)
el rape (U4)
raro / rara (U5)
razón / tener razón (U2)
realidad / en realidad (U5)
la receta (U6)
recibir (U9)
recomendar (U4)
el regalo (U1)
la región (U4)
regresar (U4)
religioso / religiosa (U8)
remover (U2)
reparar (U5)
repartir (U9)
la reserva (U7)
reservar (U4)
resfriado / resfriada (U6)
el resultado (U1)
la revista (U7)
rodear (U1)
la rodilla (U6)
el rollo (U1)
la ronda (U2)
la sábana (U6)
saber (U5)
salar (U2)
la salchicha (U5)
el salero (U2)
el salmón (U4)
la sangría (U5)
la sanidad (U6)
seguir (U9)
el segundo (= segundo plato) (U4)
la servilleta (U2)
la silla (U6)
el sillón (U6)
simpático / simpática (U1)
el sms (U9)
el sofá (U6)
la solidaridad (U7)
el solomillo (U4)
la sopa (U4)
soportar (U8)
sortear (U3)
el sueño (U6)
suyo / suya (U4)
el tablón de anuncios (U1)
tacaño / tacaña (U1)
la tapa (U2)
el tapeo (U2)
el tapón (U6)
la tarta (U4)
la taza (U2)
el teclado (U9)
técnico / técnica (U9)
la tela (U1)
telefónico / telefónica (U3)
la televisión (U7)
el televisor (U6)
temprano (U3)
el tenedor (U2)

tercer (U1)
el termómetro (U6)
el territorio (U4)
tiempo / del tiempo (U4)
tiempo libre (U8)
típico / típica (U2)
la tirita (U6)
el tirón (U6)
tocar (U5)
tomar (U2)
el tomate (U5)
tonto / tonta (U1)
el toque (U6)
la tortilla (U2)
trabajador / trabajadora (U1)
tradicional (U6)
tranquilo / tranquila (U1)
transcurrir (U8)
el transplante (U6)
el tratamiento (U1)
triste (U1)
el trono (U5)
tuyo / tuya (U4)
últimamente (U2)
vago / vaga (U1)
el valle (U4)
variado / variada (U2)
el vasco (U4)
el vaso (U2)
vegetariano / vegetariana (U1)
la vejez (U6)
la ventana (U1)
verdad / ¿verdad? (U2)
verdad / es verdad (U2)
vez / a veces (U3)
vez / de vez en cuando (U3)
el virus (U9)
la vista (U4)
la vitrocerámica (U6)
vividor / vividora (U1)
el volcán (U4)
vos (U1)
votar (U4)
la vuelta (U2)
vuestro / vuestra (U4)

Transcripciones de las audiciones

Unidad 1: *Ser o estar, esta es la cuestión*

Pista 1
PRETEXTO. Actividad 1.
Todos necesitamos puntos de referencia para saber dónde estamos.
Para saber cómo somos.
Es maravilloso estar es las Islas Canarias.
Gracias por ser mi madre y estar siempre a mi lado.

Pista 2
CONTENIDOS 1. Usos de *ser*.
Buenos días. Soy Santiago Pérez Segura.
● ¿De dónde es Mario Vargas Llosa?
▼ Es de Perú.
Soy periodista.
El bolso es negro.
La camiseta es de algodón 100%.
Creo que ese coche es de Maribel.
Javier es muy guapo y muy simpático.
Hoy es viernes 24.

Pista 3
CONTENIDOS 1. Usos de *estar*.
La camisa está en el armario.
● Buenos días, señora Enríquez, ¿qué tal está usted?
▼ Estoy bien, gracias.
La puerta está abierta.
Los libros están ordenados.
Las luces están encendidas.
El ordenador está apagado.
El jefe está de viaje.
María está de vacaciones.
● ¿A cuántos estamos...?
▼ Hoy estamos a viernes 24.
● Hola, Pedro, ¿qué tal estás?
▼ No sé, no me encuentro (estoy) bien, me siento (estoy) regular, creo que tengo fiebre.

Pista 4
EN SITUACIÓN. Actividades 1 y 3.
● Buenos días, señora, ¿para ir al Museo de Arte Abstracto?
▼ Está un poco lejos, pero el camino es muy bonito. ¿Quieres andar 15 minutos o prefieres ir en autobús?
● Prefiero andar; hace un día muy bueno.
▼ ¿Ves aquella calle que sube?
● Sí.
▼ Pues aquella calle sube hasta la Plaza Mayor. La plaza es muy antigua. Bueno, al llegar a la plaza tienes que bajar por la calle que rodea a la catedral . ¿De acuerdo?
● Sí, vale. Sigo esta calle hasta la plaza, después bajo por la calle que rodea a la Catedral...
▼ Sí, entonces... Sí, te encuentras una plaza. A un lado están las Casas Colgadas y allí está el Museo de Arte Abstracto.
● Muchísimas gracias, señora.
▼ De nada.

Pista 5
DE TODO UN POCO. Actividad 3. a.
1. ● He aprobado el examen.
   ▼ ¡Qué bien!
2. ● Joaquín no puede venir de excursión. Tiene fiebre.
   ▼ ¡Qué pena!
3. ● Otra vez tengo que trabajar el sábado. Estoy harto.
4. ● Mis abuelos van a divorciarse.
   ▼ ¡No me digas!
5. ● Mar se ha peleado con su novio.
   ▼ ¿Sí? Me parece increíble.
6. ● He perdido mi cartera.
   ▼ ¡Qué mala suerte!
7. ● Me ha tocado un coche en un sorteo.
   ▼ ¡Qué suerte!
8. ● Su novio ha tenido un accidente y está en el hospital.
   ▼ ¡Qué lástima!
9. ● Mis padres no me dejan salir esta noche.
   ▼ ¡Qué rollo!
10. ● He encontrado mi primer empleo.
    ▼ ¡Enhorabuena!
11. ● Me voy a trabajar a Canadá.
    ▼ ¿De verdad? ¿Cuándo lo has decidido?

Unidad 2: *Hay que hacer muchas cosas*

Pista 6

PRETEXTO. Actividad 1.

Hay que limpiar esta carretera.
¿Por qué no dejáis de fumar?
Están tirando de la cuerda.
Empezamos a cenar dentro de cinco minutos.
Estoy jugando.
Mira, aquí están construyendo una urbanización.

Pista 7

CONTENIDOS 3. Perífrasis.

Hay que dormir suficiente para estar en forma.
Hay que ir al dentista una vez al año.
Hemos empezado a estudiar el nivel A2.
Empezamos a cenar dentro de cinco minutos.
¿Por qué no dejáis de fumar? He dejado de ir al gimnasio. Ahora corro por el parque.
Están tirando de la cuerda. Están moviendo el mundo.
¿Sabes que Teresa está saliendo con Tomas?

Pista 8

EN SITUACIÓN. Actividades 1 y 3.

● Buenos días, ¿qué van a tomar?
▼ Yo una cerveza y una tapa de ensaladilla rusa.
■ Yo un tinto y una tapa de tortilla.
● Ahora mismo. ¿La cerveza con o sin alcohol?
▼ ¡Con alcohol!, claro.
● Aquí están la cerveza y el vino. Enseguida vienen las tapas.
▼ Muchas gracias.
● A ver... la ensaladilla por aquí y la tortilla para usted.
▼ ¿Me trae un salero, por favor?
● Aquí está.
▼ Gracias.
▼ Camarero, por favor, otra ronda
● Claro, ¿otra tapa?
▼ ¿Qué tienen de pescado?
● Calamares, boquerones...
▼ Para mí, una de calamares.
■ Para mí, otra.
● Marchando.
● Aquí están, dos de calamares.
▼ Por favor, ¿cuánto es?
■ De eso nada. Hoy pago yo.
▼ Bueno, mañana yo.
● Aquí tiene, quédese con la vuelta. Y muchas gracias.

Pista 9

DE TODO UN POCO. Actividad 3 a.

● Oye, José, este cuadro es nuevo, ¿verdad?
▼ Sí, todavía no lo he terminado.
● Pero si está perfecto... ¡Qué colores! ¡Cuánta vida! Es muy realista. ¡Me encanta! Mira esta pareja mayor que has pintado hablando tranquilamente en un banco, parece que oigo su conversación y el niño, ¡qué guapo! Seguro que es su nieto.
▼ Gracias, gracias...
● Me gusta la pareja que está besándose. Los has pintado a los dos muy bien, muy reales. Jóvenes enamorados. ¡Es primavera! ¿Y el perro de la derecha? ¿Está solo? ¿No tiene dueño?
▼ La dueña es mi amiga Casilda, paseamos juntos muchas veces.
● ¡¡¡¡Ah!!!!! Oye, y esas flores tan bonitas ¿cómo se llaman?
▼ Son lirios.
● ¡Es verdad!
▼ Oye, Carmen, ¿empezamos a cenar? Es que ya tengo hambre.
■ Estupendo.

Pista 10

DE TODO UN POCO. Actividad 3 b.

● Oye, esas flores son lirios, ¿verdad?
▼ Sí.
● Oye, José, a ti no te gustan los perros ¿verdad?
▼ No, no me gustan nada.
● Este cuadro es maravilloso, ¡qué colores!, es una obra de arte...
▼ Gracias, gracias...
● Oye, Lisa, ¿empezamos a preparar ya la cena? Es que ya es muy tarde.
▼ ¡Estupendo!

Pista 11

DE TODO UN POCO. Actividad 4.

1. ¿Crees que va a ganar el Boca este año?
2. A veces los vendedores no son amables.
3. La gente, en general, toma demasiadas grasas y azúcar.
4. La culpa del fracaso escolar la tienen los maestros.
5. Creo que vamos a aprobar el examen.

Unidad 3: *¿Qué es de tu vida?*

Pista 12

PRETEXTO. Actividad 1.

- José, ¿qué tal en Verona?
- ▾ Bien, muy bien.
- ¿Qué haces?
- ▾ Te cuento. Vivo con otros tres estudiantes españoles de Erasmus. Todos tenemos clases por la mañana. Nos levantamos temprano y vamos a la Universidad. También tenemos clases de italiano. Y Verona es una ciudad increíble para estudiantes de Arte.
  Y tú, ¿qué tal?
- Pues yo también he empezado las clases aquí. Oye, ¿qué tal con tus compañeros de piso?
- ▾ Nos llevamos estupendamente. Hay una chica, Margarita, que me gusta mucho.
- ¡Huy! ¿De dónde es?
- ▾ De Toledo. Oye, que Margarita está por aquí. Cambio de tema. Ya hemos estado en Roma y en Florencia y el próximo fin de semana vamos a ir al Lago de Como. Todavía tengo dinero de todo lo que he trabajado este verano en el bar.
- ¿Y qué tal los italianos?
- ▾ ¿Los italianos? Me caen estupendamente. Oye,que esto es caro. Nos vemos esta noche a las 10:00 en el 'messenger', ¿vale?
- Vale, estupendo. Hasta luego.
- ▾ Chao.

Pista 13

CONTENIDOS 2. Pretérito perfecto.

Esta mañana me he despertado tarde.
¡Qué poco has comido!
Esta mañana hemos salido tarde.
No me ha gustado nada la película.
Habéis aprendido mucho español.
He recibido cinco correos electrónicos.

Pista 14

PRACTICAMOS LOS CONTENIDOS. Actividad 2.

Margarita: Mañana es el cumpleaños de mi abuela. Cumple 68 años. Es una abuela estupenda.
José: ¿Sí? Mi abuela es mucho mayor. Tiene 82 años.
Margarita: Mi abuela Carmen ya está jubilada, ¡claro!, pero siempre está haciendo cosas; así se siente feliz. Tiene 5 hijos, mi madre es la mayor.
A mi abuela le encanta andar. Camina todos los días dos horas. Es delgada y fuerte, de cuerpo parece una mujer mucho más joven.
José: Pues la mía es la típica abuela. Es una mujer de pueblo. Vive en el norte de Tenerife, en Santa Úrsula. Ha trabajado muchísimo toda su vida: sus ocho hijos, el campo, los animales, y, después, los nietos.
Margarita: Los sábados, aquí en Verona, me acuerdo de ella porque cocina muy bien y siempre organiza comidas para sus hijos y nietos. También le gusta mucho contar historias de su familia. Es inteligente y muy comprensiva. Se lleva bien con toda la gente conocida.
Para mí solo tiene un defecto y es que es demasiado limpia y ordenada. Pero bueno... todos tenemos defectos y ser así no es nada terrible.
José: Pues a mí la gente ordenada me gusta. ¿Vas a llamarla por su cumpleaños?
Margarita: Sí, claro que voy a llamarla.

Pista 15

EN SITUACIÓN. Actividades 1 y 3.

1. Hola está usted llamando al 969 345 761. No estamos en este momento, por favor, deje su mensaje después de la señal. Gracias.

2. Servicio de compañía Lemon: el teléfono al que usted llama se encuentra apagado o fuera de cobertura en este momento.

3.
- ● ¿Dígame?
- ▼ ¿Está Carlos, por favor?
- ● Claro, ahora se pone. Carlos, para ti.
- ▼ ¡Hola, Carlos! Soy Ana.
- ■ ¿Qué tal, Ana?, ¿cómo estás?
- ▼ Bien, bien... Mira, te llamo para saber si quieres venir el sábado al concierto de Julieta Venegas.
- ■ ¡Claro que quiero! Me apetece mucho.
- ▼ ¿Entonces nos vemos mañana para sacar las entra das? ¿A las 17:30?
- ■ Fenomenal, a las 17:30 en el «Musical»
- ▼ Muy bien. Hasta mañana. Chao.

4.
- ● Compañía de seguros «La Malagueña» ¿en qué puedo ayudarle?
- ▼ Buenos días, necesito hablar con la señora Rico García.
- ● ¿De parte de quién?
- ▼ De Sergio del Alcázar.
- ● Lo siento, señor del Alcázar, pero en este momento está en una reunión. Por favor, ¿puede llamar dentro de 30 minutos?
- ▼ De acuerdo. Adiós.

Pista 16
DE TODO UN POCO. Actividad 4.
1.
- ● ¿Dígame?
- ▼ ¿Está Jorge?
- ● No, ha salido, ¿le digo algo de tu parte?
- ▼ Nada, gracias. Adiós.

2.
- ● ¿Sí?
- ▼ Hola, ¿eres Marisa?
- ● Sí, ¡Pepe!, ¿desde dónde me llamas?
- ▼ Desde Málaga.
- ● ¿Qué haces tú aquí?
- ▼ Que he venido a pasar cuatro días de vacaciones.
- ● ¡Qué suerte! Mira, yo salgo a las tres de trabajar y voy directamente al «Café Central». ¿Te acuerdas de dónde está? ¿Te apetece venir?
- ▼ Sí, me apetece mucho.
- ● Bueno, pues a las tres y cuarto estoy allí. Hasta pronto.

3.
- ● Soy Luis, ¿está Cecilia?
- ▼ Sí, ahora mismo se pone.
- ● Hola Luis, ¿cómo estás?
- ▼ Bien, ¿te apetece venir al cine?
- ● Lo siento, no puedo, tengo un partido de balonmano. Pero gracias por la invitación.
- ▼ Hasta luego.
- ● Un beso.

4.
Este es el contestador de Marina y Rafa. Hemos salido, pero deja tu mensaje y te llamamos más tarde.

5.
- ● Compañía Azahar, buenos días, le atiende María.
- ▼ Necesito el número de teléfono del departamento de atención al cliente.
- ● Un momento, por favor.
- ▼ El teléfono solicitado es el 952442848.

6.
- ● Hola, ¿está Pepe?
- ▼ ¿De parte de quién?
- ● De Álex, un compañero de clase.
- ▼ ¿Puedes esperar un momento? Está hablando por el móvil.
- ● Claro. Gracias.

Repaso Unidades 1, 2 y 3

Pista 17
Actividad 3.
1.
- ● Perdone señora, ¿para ir a la catedral?
- ▼ Muy fácil, esta calle todo recto hasta el final y la primera a la derecha.
- ● Muchas gracias.

2.
- ● ¿El estadio, por favor?
- ▼ No sé. No soy de aquí

3.
- ● ¿Es usted de aquí?
- ▼ Sí.
- ● Bien. ¿Para ir al estadio?

▾ Todo recto 300 metros después la primera calle a la derecha.
● ¿Puede hablar más despacio?, no entiendo mucho español.
▾ Por supuesto, vamos a ver... Es mejor el autobús 32. La parada está muy cerca: la primera calle a la izquierda. El estadio está en la tercera, no, no, en la cuarta parada.
● Muchas gracias. Muy amable.
▾ No hay de qué.

Pista 18
Actividad 4.
1.
Esta cordillera está en América del Sur y atraviesa Chile, Argentina, Bolivia, Perú, Ecuador, Colombia y parte de Venezuela. La altura media alcanza los 4 000 metros, con algunos puntos que llegan a los 6 000. Es la mayor cordillera del continente americano y una de las más importantes del mundo.

2.
Sus aguas bañan las tres penínsulas del sur de Europa (Ibérica, Itálica, Balcánica) y una de Asia (Anatolia). Comunica con el océano Atlántico, con el mar Negro y con el mar Rojo.

3.
Está en América Central, tiene 5 744 113 habitantes. Su clima es tropical. Tiene la densidad de población más alta de América continental.

4.
Forman un archipiélago que está situado en el mar Mediterráneo. Son una comunidad autónoma española. Esta comunidad está formada por Mallorca, Menorca, Ibiza, Formentera y Cabrera. La capital es Palma de Mallorca.

Unidad 4: *De viaje*

Pista 19
PRETEXTO. Actividad 1.
● Hola, Jaime, ¿qué tal? ¿Te apetece una taza de té o un café o algo?
▾ No gracias, he tomado ya un café con leche. ¿No está Miguel?
● No, ha tenido que ir a la oficina esta tarde. ¿Quieres ver ya las fotos del viaje a la Patagonia?
▾ ¡Claro! ¿Cuántos días pasasteis allí?
● Dos semanas. Fue un viaje maravilloso. Mira el mapa. Viajamos por todos estos lugares.
▾ Lo organizaste todo por Internet, ¿verdad?
● Sí, casi todo.
▾ ¿Qué es lo que más te gustó?
● Buenos Aires, la vista del Aconcagua desde el avión y, sobre todo, el Sur de la Patagonia: el glaciar Perito Moreno y el Parque Nacional de Torres del Paine. Ya sabes que, como soy azafata, he viajado por casi todo el mundo. Creo que estos dos lugares son mis favoritos. ¡Mira qué fotos! Es maravilloso: hay lagos, cascadas, ríos, montañas y hay invierno y verano en un mismo día. ¡Tienes que ir!
▾ Claro que voy a ir y muy pronto. Me ha encantado todo lo que he visto. ¿Reservaste los hoteles también por Internet?
● Sí, unos solo con desayuno, otros con media pensión y otros con pensión completa.
▾ ¿Y la comida?
● Estupenda. Pescados, mariscos, carnes asadas y vinos chilenos buenísimos.
▾ Pilar, muchísimas gracias por todo. Tengo que marcharme. Recuerdos a Miguel de mi parte.
● Adiós, Jaime. Nos vemos.

Pista 20
CONTENIDOS 1. Pretérito indefinido.
El año pasado fui a Argentina.
Rafael Nadal ganó su primer Grand Slam en 2005, a la edad de 19 años y dos días.
Anteayer dormí muy mal.
La semana pasada conocimos a un estudiante libanés.
Hace unos días jugué al tenis con Gema y perdí.
Llegué a Málaga el 15 de septiembre de 1983.
● El viernes fui al cine y vi una película estupenda.
▾ Pues yo el viernes fui a cenar a un restaurante caro y bastante malo.
Esta mañana he desayunado en una cafetería. Ayer también desayuné en una cafetería.

Esta semana he jugado dos partidos de tenis. La semana pasada también jugué dos partidos.
Este año he viajado poco. El año pasado viajé mucho.

Pista 21

EN SITUACIÓN. Actividades 1 y 3.

● Buenas noches, ¿tienen mesa reservada?
▼ Pues no.
● ¿Cuántas personas son?
▼ Somos cuatro.
● ¿Quieren esta mesa junto a la ventana o prefieren otra?
▼ Esta está bien, gracias.
● Por la noche no servimos menú. Ahora mismo les traigo la carta. ¿Quieren algo de beber?
▼ Sí, tres cervezas y un agua mineral con gas, por favor.
● Enseguida.
▼ Camarero, por favor.
● Sí, dígame.
▼ ¿Qué lleva la ensalada de la casa?
● Lechuga, tomate, zanahoria, maíz, con una salsa especial del chef.
▼ Bien, de primero queremos dos ensaladas y dos sopas de marisco.
● ¿Y de segundo?
▼ Un lenguado a la plancha, una brocheta de solomillo de cerdo, unos calamares fritos y un entrecot a la pimienta.
● ¿Van a continuar con la cerveza?
▼ No, queremos un vino, ¿cuál nos recomienda?
● El de la casa, es un Rioja que está muy bien.
▼ De acuerdo.
● ¿Van a tomar postre?
▼ ¿Qué tienen?
● Helados, natillas, flan, y tarta de chocolate. De fruta natural, melón, manzanas y plátanos.
▼ Pues nos trae un helado de fresa, dos flanes, y melón.
● De acuerdo, ¿van a tomar café?
▼ Sí, dos solos y uno con leche.
● Camarero, por favor, ¿nos trae la cuenta?
▼ Ahora mismo.

Pista 22

DE TODO UN POCO. Actividad 1.

Hemos preguntado a varias personas sobre un día especial de su vida y esto es lo que han contado.
(Verónica, 19 años)
¿El día más feliz de mi vida? El día que aprobé la Selectividad. Hicimos una fiesta que duró casi dos días. Lo pasamos de maravilla. Todos los amigos juntos en la playa por la noche... ¡Increíble!
(Jorge 28)
El día más feliz de mi vida fue el día que conocí a Cristina. La conocí y me enamoré. Fue estupendo. Pasamos juntos toda la tarde y por la noche bailamos en una discoteca hasta muy tarde ¡Qué recuerdos!
(Antonio 55)
¿El día más importante de mi vida?
No sé... tengo varios. Bueno, el día que nació mi primera hija. Fue maravilloso. Acompañé a mi mujer todo el tiempo. La niña nació bien de salud y ¡claro!
¿qué voy a decir yo que soy su padre?... Bueno pues que fueron unas horas inolvidables.

Pista 23

DE TODO UN POCO. Actividad 2.

Shakira Isabel Mebarak Ripoll nació en la ciudad de Barranquilla, Colombia, el 2 de febrero de 1977.
A los 8 años escribió y cantó su primera canción «Tus gafas oscuras» que dedicó a su padre.
Dos años después, Shakira participó por primera vez en un concurso musical infantil en el canal de televisión «Tele Caribe» de Colombia. Ganó el premio durante tres años seguidos.
En 1995 grabó su tercer álbum «Pies Descalzos», que fue un éxito total. Vendió millones de copias de este disco.
Desde entonces no ha parado de hacer nuevos álbumes.
En el año 2001, grabó versiones de sus temas en inglés que también fueron un éxito.
Actualmente dedica el mayor tiempo posible a su fundación «Pies Descalzos», que promueve la educación y ayuda a los niños víctimas de la violencia en Colombia.

Unidad 5: *Un poco de nuestra Historia*

Pista 24

PRETEXTO. Actividad 1.

● ¿Cómo llevas el examen de Historia de América?
▼ Creo que bien. ¿Y tú?
● Así, así. Tengo que repasar algunas cosas. Si qui eres, te tomo la lección.
▼ Muy bien. Toma el libro. Pregunta algo.
● A ver... Vale. ¿Qué sabes de los incas?
▼ Los incas..., los incas. Hoy en día son conocidos como el imperio del sol, su dios más importante. ¡Fíjate! Durante mucho tiempo el sol o el inti palabra quechua para decir sol) fue la moneda del Perú moderno.
● ¡Hala! ¡Cuánto sabes! ¡Más, más!
▼ Fueron una civilización y un imperio que ocupó las tierras de los actuales países de Bolivia, Perú, Ecuador, parte de Chile y de Argentina y el sur de Colombia.
● ¿Y en qué época vivieron?
▼ El imperio inca empezó a formarse en el siglo xv y se terminó en el siglo xvi, cuando llegaron los es pañoles. La capital del imperio fue Cuzco, que en su lengua significa «el ombligo del mundo». Bueno, en realidad, hubo un periodo preincaico en el siglo xii con Manco Cápac. Él mandó construir el famoso Templo del sol.
● ¡Muy bien! Seguro que apruebas el examen. Oye ¿Y el quechua se habla todavía en Perú?
▼ Sí; y también en Bolivia. Otro día te cuento la leyenda de Manco Cápac y su esposa.
● ¿Y por qué no ahora?
▼ Porque ahora vamos a descansar.

Pista 25

EN SITUACIÓN. Actividad 2.

(En la frutería)
● Buenos días ¿qué le pongo?
▼ Tres kilos de patatas, un kilo de cebollas y un kilo de tomates.
● ¿Verdes o maduros?
▼ Verdes, para ensalada.
● ¿Algo más?
▼ Sí, ¿qué tiene de fruta?
● De todo, manzanas, peras, melocotones, ciruelas, mangos, kiwis...
▼ ¿A cuánto están los melocotones?
● A 3,20 euros.
▼ Pues un kilo de melocotones. ¿Y las ciruelas?
● A 3,15 euros el kilo.
▼ Póngame otro kilo. ¿Cuánto es todo?
● A ver... 14,05 euros.
▼ Aquí tiene. Adiós, buenos días.
● Adiós, muchas gracias.

(En la carnicería)
● ¡Hola, Jorge!, ¿qué tal?
▼ Muy bien, ¿y usted?
● Ahí vamos, ponme medio kilo de pechugas de pollo.
▼ ¿En filetes?
● Sí, y un kilo de carne picada, mitad de cerdo, mitad de ternera.
▼ Tengo unas chuletitas de cordero buenísimas.
● Vale, me llevo un kilo.
▼ ¿Le pongo también unas salchichas que tengo muy frescas...?
● No, gracias. Con esto tengo para varios días. ¿Cuánto es?
● 28,30 euros.
▼ Toma, y recuerdos a la familia.
● Adiós, hasta pronto.

Pista 26

DE TODO UN POCO. Actividad 3b.

Simón Bolívar nació en Caracas, Venezuela, en 1783. Es conocido como el Libertador porque ayudó a conseguir la independencia de Suramérica en las famosas batallas de Junín y Ayacucho. De joven viajó con su familia por Europa. En París tomó contacto con las ideas de la Revolución y conoció personalmente a Napoleón. Bolívar escribió *La Constitución* de 1826 para una América independiente de los españoles, pero nunca se usó. En 1827 explotaron guerras civiles que destrozaron la unión sudamericana. El Libertador Simón Bolívar murió el 17 de diciembre de 1830.

Unidad 6: *¡Qué tiempos aquellos!*

Pista 27

PRETEXTO. Actividad 1.

Publicidad aspirina

Tengo un recuerdo de muy pequeña. A mi padre, a veces, le dolía la cabeza y algunas veces entraba en el comedor para coger Aspirina. Yo estaba en la cama despierta. A veces tenía miedo, pero cuando veía la luz por debajo de la puerta, el miedo desaparecía, porque sabía que él estaba ahí. Quizás por eso le tengo más cariño.

La fiesta de cumpleaños

Cuando éramos pequeños celebrábamos los cumpleaños en casa. Nuestras madres preparaban bocadillos y hacían la tarta. Venían amigos que traían regalos. Cuando aparecía la tarta todos aplaudíamos y cantábamos «Cumpleaños feliz». Después, jugábamos toda la tarde. ¡Qué recuerdos!

El 600

El 600 era el coche típico de los años 60. Lo llamábamos utilitario. Era pequeño, pero parecía de goma: en él cabía mucha gente. Tenía dos puertas que se abrían al revés que los coches de ahora.

Benidorm y Torremolinos

En los años 60 y 70 los españoles iban de vacaciones a Benidorm y a Torremolinos. Eran dos ciudades costeras, no muy grandes. Tenían hoteles y edificios de apartamentos.

Pista 28

CONTENIDOS 1. El Pretérito Imperfecto.

Antes celebrábamos los cumpleaños en casa. Nuestras madres hacían las tartas.

Algunos días mi padre entraba en el comedor para coger Aspirina.

Cuando era pequeña, leía mucho ahora prefiero ver la televisión.

De niño le gustaba escribir; ahora es un escritor famoso.

De niña yo vivía con mi tía y mi abuela. Las dos eran mujeres muy guapas que tenían un carácter muy parecido: se enfadaban fácilmente, pero conmigo eran muy cariñosas.

Siempre he tenido perros, pero Peki era un perro especial y muy listo; paseábamos juntos y yo lo quería mucho.

Torremolinos y Benidorm en los años 60 y 70 eran mucho más pequeños que ahora.

La casa de mi abuela y de mi tía parecía un castillo: tenía muchas habitaciones llenas de cosas misteriosas para mí. Había una habitación donde yo no podía entrar porque siempre estaba cerrada: era la habitación de los fantasmas.

- ● El antiguo conserje era muy serio y eficiente.
- ▼ ¿Y dónde trabaja ahora?

- ● Buenos días, ¿qué deseaba?
- ▼ Quería probarme ese traje.

- ● ¿Podía hablar con la señora Escámez?
- ▼ Un momentito, por favor, voy a ver si está.

Pista 29

PRACTICAMOS LOS CONTENIDOS. Actividad 2.

- ● A mí me gustaba el fútbol de antes, no el de ahora. Todos los domingos íbamos al campo con la familia a ver jugar a nuestro equipo. Es verdad que los asientos eran más incómodos que los de ahora, pero eso no era importante. Ponían un solo partido en la tele, en blanco y negro. Ahora todos los días hay fútbol. Entonces, seguíamos al equipo de nuestra ciudad, no como ahora que los jóvenes son mayoritariamente del Madrid o del Barcelona.
- ▼ Eso no es verdad: para mí el equipo más importante es el Málaga.
- ● No había tantos intereses económicos. Los clubes no pagaban tanto dinero por el traspaso de un jugador. Antes cobraban un buen sueldo y no los millones de euros que cobran ahora. Y no llevaban publicidad. No había jugadores extranjeros. Los futbolistas no se creían ídolos como hoy.
- ▼ En eso tienes razón.
- ● Los futbolistas eran sólo deportistas y no modelos como ahora. Los jugadores luchaban por el equipo, ahora sólo les interesa el dinero. Antes había calidad, ahora sólo importa ganar.
- ▼ ¡Qué dices! Hoy se juega muy bien al fútbol.
- ● Y, afortunadamente, no existía la violencia que hay ahora en los campos de fútbol.
- ▼ La violencia está presente en toda la sociedad. No es exclusiva del fútbol.
- ● No sé, no sé... ¡Ay! ¡Qué tiempos aquellos!

Pista 30

EN SITUACIÓN. Actividad 2.

Doctor: Adelante, adelante ¡Hombre, Doña Amalia! ¡Cuánto tiempo!

Doña Amalia: Pues sí, la verdad es que hace ya algunos meses.
Doctor: Y, dígame, ¿qué le pasa?
Doña Amalia: Verá, doctor, estaba muy bien, pero desde que ha empezado el otoño, me duele todo: las piernas, los brazos... hasta los dedos.
Doctor: ¿Ha hecho usted algún esfuerzo especial en estos días?
Doña Amalia: Pues no recuerdo, pero el otro día me dio un tirón en la espalda.
Doctor: Ya, ya. ¿Le dolió mucho?
Doña Amalia: No, no fue muy fuerte.
Doctor: Y una pregunta ¿ha hecho gimnasia este verano?
Doña Amalia: Ay, doctor, no. Con la playa, el calor que hacía, las visitas, los nietos...
Doctor: Bueno, tranquila. ¿Tiene usted problemas de estómago?
Doña Amalia: Yo no, ¿por qué?
Doctor: Porque va a tomar usted estas pastillas. Si le molesta un poco el estómago, debe tomar estas otras. Además, tiene que empezar su gimnasia inmediatamente.
Doña Amalia: Sí, doctor, voy a volver a Pilates dos veces por semana. Y voy a hacer todo lo que usted dice, de verdad.
Doctor: La creo, la creo. Va a volver el mes que viene.
Doña Amalia: ¿Qué día?, porque el 5 no puedo, tengo una boda.
Doctor: No hay problema, ahora habla usted con la enfermera.

Pista 31
DE TODO UN POCO. Actividad 2.
Con ustedes, como todas las tardes, Onda Meridional. Hoy nuestra reportera ha salido a la calle para preguntar a la gente por sus recuerdos. Les presentamos sus entrevistas.
● Hola, ¿cómo te llamas?
▼ Irene.
● ¿Puedes contestar a algunas preguntas, por favor? Son para Onda Meridional.
▼ Vale.
● ¿Cuántos años tienes y qué haces?
▼ Tengo 22 y estudio Ingeniería Industrial.
● Bien. Oye, Irene ¿qué recuerdas de la adolescencia?
▼ Pues... que de adolescente tenía muchos granos. Para mí era horrible. Me quedaba en casa y pensaba que estaba fea.
También recuerdo que discutía con mis padres por la hora de volver a casa.
Cuando tenía trece años, me gustaba un chico que vivía en el edificio de enfrente. Me pasaba horas tumbada en la cama y él en el balcón. ¡Qué tontos éramos!
● Muchas gracias, Irene.
▼ De nada.
● Buenos días, señor, ¿Puede contestar a algunas preguntas, por favor? Son para Radio Meridional.
■ De acuerdo.
● Gracias. ¿Cómo se llama?
■ Enrique Moreno.
● Enrique ¿qué recuerdos tiene de la adolescencia?
■ Yo de adolescente era feliz. Me pasaba el día jugando al balonmano, iba al gimnasio tres veces por semana. No me apetecía salir con chicas. Me levantaba muy temprano todos los días para entrenar o jugar. A menudo viajaba con el equipo para jugar la liga. ¡Qué tiempos más felices!
Ahora tengo 47 años y soy directivo de mi equipo de balonmano.
● Pues muchísimas gracias.
Hasta aquí las respuestas dadas por las personas entrevistadas por nuestra reportera. Si ustedes desean compartir sus recuerdos con nosotros pueden enviarnos un e-mail a radio.meridional@onda.net. Gracias por acompañarnos. Les dejamos con las noticias de las 11:00 en punto.

Repaso Unidades 4, 5 y 6

Pista 32

Actividad 3.

Colombia es el único país de América que lleva el nombre de su descubridor: Cristóbal Colón. Originariamente los españoles la llamaban «Nueva Granada»» en recuerdo de la otra Granada de España.

Hoy día conocemos Colombia por ser patria del autor de *Cien años de soledad*, Gabriel García Márquez y por su buen café, que era antes el primer producto para la exportación. Lamentablemente ahora el producto más «exportado» es la coca.

Colombia era un país de gran tradición cultural: a Bogotá la llamaban la Atenas de Latinoamérica. Hoy en día allá se publican tal vez los mejores periódicos del continente de habla hispana: *El tiempo* y *El Espectador*, famoso este último por su lucha contra las mafias de la droga.

Un bello recuerdo de un viaje a Colombia es ver bailar la cumbia (baile típico de las costas del Caribe) por la noche, en la playa, con velas en las manos.

Para terminar, debemos recordar que el español o castellano que hablan los colombianos es uno de los más bellos del mundo.

Pista 33

Actividad 4.

- El rey Carlos III mandó construir al arquitecto Sabatini una nueva puerta de Alcalá, en Madrid. Es de estilo neoclásico. Se inauguró en 1778 como puerta de entrada a la ciudad. En 1869 se remodeló la plaza y ya nunca más sirvió de puerta, pero es uno de los monumentos representativos de la ciudad.
- El Parque Güell, de Barcelona, es un gran jardín con elementos arquitectónicos y esculturas de animales muy características del estilo de su autor. Lo diseñó el arquitecto modernista Antoni Gaudí, por encargo del empresario Eusebi Güell. Lo construyó entre 1900 y 1914 y en 1922 fue declarado parque público. En 1984 la UNESCO incluyó al Parque Güell como Lugar Patrimonio de la Humanidad.
- La Torre del Oro está en Sevilla. Tiene doce lados y está formada por tres cuerpos. El primer cuerpo fue construido en el siglo XIII. El segundo cuerpo fue construido en el siglo XIV. El cuerpo superior fue construido en 1760. Fue declarada monumento histórico-artístico en 1931 y ha sido restaurada varias veces.
- El museo Guggenheim de Bilbao, como todos los de la Fundación Solomon Guggenheim, está dedicado al arte contemporáneo. Este museo abrió sus puertas en 1997. Hoy en día es el símbolo turístico y cultural más importante de la ciudad de Bilbao.

Unidad 7: *¡Si tú me dices ven...!*

Pista 34

PRETEXTO. Actividad 1.

Invierte en justicia. Gana en solidaridad. Manos Unidas. La solidaridad da sentido a tu vida. Practícala. Trabajamos para la justicia. Caritas.

Discúlpanos. Hemos estado observando tus sueños. Mercedes Benz.

Pista 35

CONTENIDOS 1. El imperativo.

- ● Tengo que adelgazar.
- ▼ Es fácil, come menos dulces.
- ● Si salís este fin de semana, tened cuidado, hay mucha gente en las carreteras.
- ● ¿Puedo entrar?
- ▼ Pasa, pasa.
- ● ¿Qué te parece si hago una paella para la comida del domingo?
- ▼ Por mí, haz paella el domingo, el lunes, el martes... me encanta la paella.
- ▼ Tranquila, que no vamos lejos.
- ● Francis, pon la mesa que ya vamos a comer.
- ▼ Vale. Estoy muerto de hambre.
- ● El director no está, vuelvan mañana a las 10:00h.
- ▼ Es que nunca está en su despacho.

Pista 36

EN SITUACIÓN. Actividad 1.

- ● Buenos días, ¿habla usted español?
- ▼ Sí, señora, ¿en qué puedo ayudarla?
- ▼ Quería una habitación para tres noches para dos personas.

- Un momento por favor..., sí, tenemos una con vistas a la calle y otra que da al jardín. ¿Desean verlas?
- Sí, por favor.
- Aquí tenemos la 129 que da al jardín, pero en esta época no hay mucha gente. La 311 da a la calle. En verano hay mucho ruido, pero ahora es muy tranquila. Las dos tienen minibar, aire acondicionado...
- ¿Qué opinas, cariño?
- A mí me gusta más la del jardín, ¿y a ti?
- ¿Cuánto vale?/ ¿Qué precio tiene?
- Son 75 euros con desayuno.
- A mí me parece bien.
- A mí también. Nos quedamos en la 129.
- Muy bien. ¿Pueden dejarme sus pasaportes, por favor?
- Sí, claro, aquí los tiene. ¡Ah!, una cosa más, hemos aparcado el coche enfrente del hotel, ¿tienen un aparcamiento vigilado?
- Sí, señora, pueden dejar el coche ahí, es gratuito.

Pista 37

DE TODO UN POCO. Actividad 3.

Los bailes caribeños proceden de las islas del Caribe. Tienen mucho éxito en los países europeos porque mucha gente ya ha estado alguna vez en Cuba, República Dominicana o Jamaica. Otra de las razones para el éxito de estos bailes es que permiten la socialización, es decir, bailar en parejas y pasarlo bien en las discotecas o bares de moda y no tener miedo a moverse.

Pista 38

DE TODO UN POCO. Actividad 4.

Cambia tus ideas sobre el tabaco.
Habla de este tema con otras personas.
Cuida tu alimentación.
Duerme bien.
Haz diferentes actividades para ocupar el tiempo.
Muévete y haz ejercicio.
Bebe mucha agua.
Piensa de forma positiva.
Aprende a superar el impulso de fumar.
Sé paciente.
Aprende a relajarte.

Unidad 8: *Cuaderno de viajes*

Pista 39

PRETEXTO. Actividad 1.

La profesora nos ha pedido un trabajo sobre nuestra estancia en España. Yo he decidido hacer un cuaderno de viaje porque me gusta mucho la fotografía. Así que empiezo este cuaderno para no olvidar todo lo que he visto. Cuando miro estas fotos otra vez, vuelvo a vivir momentos maravillosos.

• Unos amigos de mi familia me invitaron a cenar en su casa. Para ellos la fiesta más importante es la Nochebuena, (la noche del 24 de diciembre), por eso ponen una mesa tan elegante. No celebran la Navidad, ni la noche del 31 de diciembre (Nochevieja) ni los Reyes Magos (la noche del 5 al 6 de enero).

• Este hombre se llama Juan Galea. Vive en Istán, un pueblo blanco de Málaga. Está haciendo cestas que la gente del pueblo usa para poner la fruta, las patatas... Parece el Norte de España, pero es el sur: es la Sierra de las Nieves. Este paisaje está solo a unos 15 km de la Costa del Sol. Está protegido hace mucho tiempo.

• Este gesto que hace Liliana tocándose la cara varias veces significa ¡qué cara más dura tienes!. En mi país no lo hacemos.

Pista 40

EN SITUACIÓN. Actividades 1 y 2.

Al llegar.

- Hola, ¿llegamos demasiado pronto?
- ¿Qué tal? No, Martin y Birgit ya están aquí, adelante.
- ¡Qué casa tan bonita!
- Bueno, la compramos hace muchos años. Luego os la enseño.
- Hemos traído una botella de vino de Málaga.
- Muchas gracias, ¿para qué os habéis molestado? Voy a ponerla en el frigo y luego la tomamos con el postre.

Hablando con otros invitados.

- ¡Cuánto tiempo sin veros! ¿Cómo estáis?
- Es verdad, no nos vemos nunca.
- No nos podemos quejar. De momento todo va bien.
- ¿Y las niñas?
- Las hemos dejado con la abuela. Esta noche pode-

mos volver tarde.
✳ Bueno, chicos, a cenar.

En la mesa.
★ ¡Qué rico! Eres un artista, no sé cómo lo haces.
✳ Todo está buenísimo, oye ¿de dónde sacas tiempo para hacer tantas cosas?
● ¿Sí? ¿Te gusta? Es que me encanta la cocina y, además, me relaja. ¿Queréis un poco más?
▼ Yo no puedo más, de verdad, es que no suelo cenar mucho.
● Venga, un poquito.
✳ Bueno, pero muy poco, en serio.
● Yo quiero un poco más, es que está...
▼ ¿Qué os parece si abrimos ahora el vino de Málaga para acompañar los pasteles que han traído Birgit y Martin?
♠ Sí, buena idea, estupendo.

Pista 41
DE TODO UN POCO. Actividad 2.
● Hola, ¿cómo te llamas?
▼ Darío.
● Darío, queremos saber si quieres casarte o prefieres vivir en pareja.
▼ Me casé el año pasado, pero no por la iglesia. Me casé en el Ayuntamiento de mi pueblo el 1 de abril.
● Gracias por contestar.

▼ Hola, ¿cómo te llamas?
● Iñigo.
▼ Iñigo, queremos saber si quieres casarte o prefieres vivir en pareja.
● Me caso el 25 de julio por la iglesia. Soy católico y mi novia también, por eso queremos celebrar la boda en una iglesia.
▼ Muchas gracias. ¡Ah! ¡Enhorabuena!
● Gracias.

● Buenas tardes, ¿Cómo se llama?
▼ Arturo
● ¿Arturo está usted casado?
▼ Ya no. Estuve casado 15 años, pero me divorcié.
● ¿Y usted se casó por lo civil o por la iglesia?
▼ Me casé por la iglesia porque nuestros padres eran religiosos. Fue una boda muy bonita y el banquete en un jardín precioso.
● Bueno, pues gracias y suerte.
● Hola, ¿cómo te llamas?
▼ Marisa.
● Marisa queremos saber si quieres casarte o prefieres vivir en pareja.
▼ Pues...nunca lo he pensado; no tengo novio y no sé... la verdad es que no me preocupa.
● Pues gracias.

● Buenas tardes, ¿cómo se llama?
▼ Hortensia.
● Hortensia, queremos saber qué opina sobre las bodas civiles, religiosas o vivir en pareja.
▼ Pues en mi caso está clarísimo. Hace 22 años que vivo con mi compañero y padre de mis dos hijos: Teresa de 19 y Ricardo de 18. Gonzalo, mi compañero, dice que por qué no nos casamos, pero a mí no me apetece. No quiero. Soy muy feliz así.
● Gracias.
▼ De nada.

Pista 42
DE TODO UN POCO. Actividad 4.
Los españoles dedican ocho horas al tiempo libre fuera de casa durante el fin de semana y 4 horas y 20 minutos a ver la televisión. También navegan por Internet, oyen música, escuchan la radio, se ocupan de su perro, de su gato o de su pájaro, es decir, de sus mascotas, leen, juegan con videojuegos, cocinan, se dedican al cuidado personal y hablan por teléfono.
A las mujeres les gusta más que a los hombres pasar el tiempo libre fuera de casa durante el fin de semana.
Este estudio afirma que los hombres disfrutan de 45 minutos más de tiempo libre que las mujeres durante el fin de semana.
Los jóvenes de 18 a 25 años son los que pasan más tiempo libre en casa.
(Información obtenida de la cuarta edición del estudio *on line* realizado por el portal inmobiliario facilisimo.com a un total de 5 157 personas).